littérature et signification

Ouvrages de la même collection :

J. Dubois (Faculté de Paris)	GRAMMAIRE STRUCTURALE DU FRANÇAIS **nom et pronom** 192 pages **le verbe** 218 pages
A.-J. Greimas (Hautes Études)	SÉMANTIQUE STRUCTURALE 208 pages
P. Guiraud (Faculté de Nice)	STRUCTURES ÉTYMOLOGIQUES DU LEXIQUE FRANÇAIS 192 pages
Dr H. Hécaen **Dr R. Angelergues**	PATHOLOGIE DU LANGAGE **l'aphasie** 200 pages
K. Togeby (Faculté de Copenhague)	STRUCTURE IMMANENTE DE LA LANGUE FRANÇAISE 208 pages

langue et langage

littérature et signification

par

Tzvetan Todorov

LIBRAIRIE LAROUSSE

17, rue du Montparnasse, et boulevard Raspail, 114, Paris

ISBN 2-03-070307-9

AVANT-PROPOS

Le travail qui suit prétend se placer dans la perspective d'une science de la littérature ou, comme nous dirions plus volontiers, de la poétique. Ces quelques remarques préliminaires sur le caractère général de la poétique devraient permettre d'éviter un malentendu facile quant à son interprétation.

On s'est demandé, à maintes reprises déjà, si les études littéraires — que ce soit histoire ou critique — pouvaient devenir une science. Mais les tentatives de certains chercheurs pour transformer ces études en science ont échoué ; tout comme ont échoué celles de leurs adversaires pour expliquer les raisons de l'échec. La cause principale de ce double insuccès réside dans la spécificité de l'objet présumé de la science littéraire : cet objet semblait constitué par les œuvres littéraires existantes. Tout travail scientifique se voit obligé de prescrire comment les œuvres devraient être plutôt que de décrire comment elles sont. Pourtant les œuvres sont là, et si elles n'obéissent pas aux schémas « scientifiques », c'est que cette science-là est mauvaise. La seule façon de justifier l'existence d'un discours scientifique sur la littérature est d'opposer dès le départ la science à la description. La poétique est distincte, en effet, comme toute science, de la description des œuvres littéraires. Alors que décrire, c'est à partir de certaines prémisses théoriques chercher à obtenir une représentation rationalisée de l'objet de l'étude, faire œuvre de science, c'est discuter et transformer les prémisses théoriques elles-mêmes, après être passé par la connaissance d'un certain objet. La description est, en littérature, un résumé raisonné ; celui-ci doit être composé de telle sorte que les traits principaux de l'objet décrit ne soient pas omis et ressortent même avec plus d'évidence. La description est une paraphrase, mais paraphrase dévoilante, paraphrase qui exhibe le principe logique de sa propre organisation au lieu de le dissimuler. Toute œuvre est, dans ce sens, sa meilleure description possible : entièrement immanente et exhaustive. Si nous ne pouvons pas nous en contenter, c'est que les principes de description différeraient, dans ce cas, beaucoup trop.

On a vu, de notre temps, se développer des techniques de plus en plus perfectionnées, servant à la description de l'œuvre littéraire. Tous les éléments constitutifs et pertinents d'un poème, par exemple, seront identifiés ; puis on décrit leur disposition relative, pour aboutir à une nouvelle présentation du même poème, présentation qui doit nous permettre de mieux pénétrer son sens. Mais jamais la description d'une œuvre ne peut nous amener à modifier nos prémisses, elle ne fait que les illustrer.

Il en va autrement de la démarche du « poéticien ». S'il analyse un poème, ce ne sera pas pour illustrer ses prémisses (ou, en tous les cas, pas plus d'une fois, et ceci dans des buts pédagogiques), mais pour tirer de cette analyse des conclusions qui complètent ou modifient les prémisses de départ ; en d'autres mots, pour soulever un problème théorique. La poétique n'aura donc pas comme tâche la description ou l'interprétation correcte des œuvres littéraires du passé ; mais l'étude des conditions qui rendent possible l'existence de ces œuvres. Autrement dit, l'objet de la poétique n'est pas les œuvres mais le discours littéraire ; et la poétique se rangera à côté des autres sciences du discours qui devront se constituer à partir de chacun des types de discours.

Si une étude de poétique traite d'une œuvre littéraire, cette œuvre n'est, à son tour, rien d'autre qu'un langage dont la poétique se sert pour parler d'elle-même. Car si son objet est constitué par des possibles et non par les réels ; si son discours ne peut être que théorique, son objet véritable devient son propre discours plus que celui de la littérature : l'objet de la poétique est ce discours qui postule, délimite, découpe et organise son objet apparent, la littérature : simple relais-médiateur. Une relation dialectique s'établit entre les deux : chacune d'elles est un langage qui traite de l'autre ; et en même temps chacune d'elles ne traite que d'elle-même.

Ainsi l'objet premier de cette étude sera Les Liaisons Dangereuses. *Mais son objet profond, c'est la poétique elle-même, ses concepts, ses méthodes, ses possibilités. La description des* Liaisons Dangereuses, *qui suit, a pour seule fin de permettre la discussion des problèmes théoriques de la poétique. La poétique ne peut se passer de la littérature pour discuter de son propre discours ; et en même temps ce n'est que dans un dépassement de l'œuvre concrète qu'elle y parvient* (1).

---

(1) Ce travail a été présenté, sous une forme différente, comme Thèse de troisième cycle, en 1966. Je tiens à remercier ici mon Directeur de thèse, M. Roland Barthes, pour ses suggestions critiques et amicales.

I

LE SENS DES LETTRES

Quels sont les facteurs qui déterminent la signification globale d'un énoncé ? Cette formulation de la question laisse déjà sous-entendre que la « signification globale » ne se réduit pas à ce qu'on appelle couramment le « sens » d'un message, c'est-à-dire à son contenu informatif ou, plus précisément, à l'aspect référentiel de l'énoncé. Notons bien qu'il ne s'agit pas de savoir quelles fonctions peut assumer ce message (question à laquelle le modèle bien connu de R. Jakobson constitue une réponse) mais : par quels de ses aspects est-il signifiant ? Pour répondre à cette question on examinera tous les sens que prend dans ce roman un objet et le mot qui lui correspond, la *lettre*.

Deux approches complémentaires peuvent être envisagées ici. On peut étudier la lettre comme un fait de la vie sociale, en se servant de cette matière particulièrement riche qui nous est offerte par *Les Liaisons Dangereuses*, comme recueil de lettres (quoique imaginaires). Et on peut aussi étudier *Les Liaisons Dangereuses*, œuvre littéraire, en se fondant sur la meilleure compréhension des lettres, élément essentiel de sa construction.

I. L'INTERPRÉTATION DES PERSONNAGES.

Pour pouvoir parler de la signification des lettres en général, et non seulement comme procédé romanesque, il faut d'abord se placer au point de vue des personnages et non à notre point de vue de lecteurs d'un roman. La discussion que les personnages entretiennent autour de l'objet *lettre* fera ressortir ses différents aspects, ainsi que les caractéristiques du processus au cours duquel un tel objet se charge de sens.

Ce premier parti pris qui rendra l'analyse plus simple et plus claire nécessite une nette formulation. Il ne sera donc pas question ici de ces lettres, véritables ou imaginaires, qui constituent *Les Liaisons Dangereuses*, ni de la perception que nous, lecteurs, en avons. Seuls les passages du roman dans lesquels on discute des lettres, seront examinés ici. Cette limitation est une conséquence du souci de ne pas confondre au départ le sens propre à la lettre en général ou dans une société donnée avec celui qu'elle a comme partie constitutive d'un roman. Seule la fonction référentielle des phrases du roman sera pertinente pour cette analyse ; elles n'auront de sens pour nous que par rapport à la réalité qu'elles décrivent et leurs autres aspects ne seront pas interrogés.

En anticipant un développement ultérieur, nous pouvons dire que cette fonction référentielle n'est évidemment pas le seul élément qui compte dans la perception que nous, lecteurs, avons des lettres. Un exemple simple est fourni par la lettre 153 ; elle se termine ainsi : « Réponse de la Marquise de Merteuil écrite au bas de la même Lettre : « Hé bien ! la guerre ». » Le fait que la Marquise écrit sa réponse au bas de la lettre de son correspondant, et non sur une feuille particulière, est pourvu d'une signification dont il faut tenir compte. Mais pour éviter toute confusion dans les niveaux de l'analyse, la perception que les personnages ont des lettres et les commentaires qu'ils en font, seront isolés des nôtres ; et ceci avec d'autant moins de regrets qu'on y retrouvera les mêmes traits que notre propre perception aurait retenus.

1. *LE MODÈLE FORMEL DE LA COMMUNICATION.*

Chercher des aspects de la signification autres que le référentiel ne doit pas équivaloir à ignorer ce dernier ; il est bien évident qu'une partie majeure de la signification d'un énoncé se ramène souvent à cet aspect référentiel précisément.

C'est grâce à lui qu'un énoncé se relie à une réalité qui lui est extérieure. Les lettres dans *Les Liaisons Dangereuses* examinent très souvent cet aspect ; et c'est de lui en fait qu'il est le plus fréquemment question. Donner une liste des différents cas serait fastidieux, et d'ailleurs inutile car ces exemples ne soulèvent pas des questions théoriques importantes (quelques cas particuliers seront examinés dans les chapitres suivants). Mais voici un exemple qui, bien qu'illustrant cet aspect, en indique déjà un autre. Il est tiré des lettres de Mme de Rosemonde : « ... vous ne m'avez rien ou presque rien appris par votre Lettre. Si je n'avais été instruite que par elle, j'ignorerais encore quel est celui qui vous aimez... » (lettre 103). Par ces phrases ce n'est pas simplement la réalité (disons, les relations entre Tourvel et Valmont) qui est évoquée mais aussi la lettre elle-même et, plus particulièrement, l'absence d'un nom. Cette absence est prise ici « à la lettre », car elle n'existe pas dans le référent, les deux correspondantes sachant parfaitement de qui il est question.

C'est un phénomène particulier, provoqué par la présence de ce qu'on pourrait appeler la « parole inadéquate », c'est-à-dire, une parole qui ne désigne pas correctement son référent : mensonges, hypocrisies, erreurs, etc. La parole feinte prend une importance théorique inattendue : ce type de paroles renvoie de la réalité désignée à l'énoncé lui-même ; le récepteur ne peut plus se limiter à la perception de la référence à travers l'énoncé, une partie de son attention reste obligatoirement attirée par cet énoncé lui-même : ici apparaît un premier degré d'opacité.

Voici donc un premier aspect de la signification, différent de l'aspect référentiel ; appelons-le son aspect littéral. Il se manifeste dans les cas où l'énoncé lui-même est évoqué, mais non sa référence. De tels cas sont rares dans *Les Liaisons Dangereuses* : la plupart du temps lorsqu'on évoque une partie de l'énoncé, on établit involontairement un rapport avec la réalité désignée. Ce n'est donc pas faute d'attention au message que les personnages du roman en parlent rarement, mais parce que l'évocation d'un énoncé en tant que sens évoque facilement la référence sous-jacente. Toutefois, cet énoncé n'est pas considéré comme une accumulation inintelligible de sons ou de lettres mais comme une unité de sens, les mots y sont pris pour des mots, non pour des choses, ni pour des séries de phonèmes.

Il existe toutefois quelques cas qui permettent d'observer de plus près l'aspect littéral de l'énoncé. Ils se trouvent tous dans les lettres de Mme de Merteuil : elle accorde la plus grande attention à la lettre même. Dans une de ses lettres à Danceny, elle lui montre où peuvent l'entraîner les conséquences logiques de certaines de ses expressions, telles que : « Apprenez-moi à vivre où vous n'êtes pas » (l. 121). Une autre fois, elle écrit à Valmont : « C'est ainsi qu'en remarquant cette politesse, qui vous a fait supprimer soigneusement tous les mots que vous vous êtes imaginé m'avoir déplu, j'ai vu cependant que, peut-être sans vous en apercevoir, vous n'en conserviez pas moins les mêmes idées. En effet, ce n'est plus l'adorable, la céleste Mme de Tourvel mais c'est *une femme étonnante, une femme délicate et sensible,* et cela, à l'exclusion de toutes les autres ; *une femme rare enfin,* et telle *qu'on n'en rencontrerait pas une seconde.* Il en est de même de ce charme inconnu qui n'est pas *le plus fort.* » (l. 134 ; de même dans la lettre 141). Comment se fait-il qu'ici l'aspect littéral du message est si bien examiné, alors qu'à toute autre occasion, les personnages traitent immédiatement de la réalité désignée ? Dans aucune des phrases citées et discutées, les mots ne sont utilisés dans leur fonction référentielle : dans le premier cas, il s'agit d'un impératif, parole centrée par excellence sur le récepteur ; dans le second (ainsi que dans la lettre 9, ou dans la lettre 33), de paroles expressives, qui informent de leur émetteur plus que de leur objet (quel est le référent des mots comme *étonnante, délicate et sensible, rare,* pour un être humain, etc. ?) Ces mots désignent beaucoup plus les sentiments de Valmont, impliqués dans son discours, que les qualités de Mme de Tourvel. Cette propriété du discours facilite les personnages à s'arrêter sur l'énoncé lui-même ou, plus précisément, sur son aspect littéral : il y a donc plusieurs types de discours, dont certains plus perceptibles que d'autres.

Les remarques citées de Mme de Merteuil sur l'aspect littéral de l'énoncé visent des expressions à l'intérieur d'une phrase. Le champ s'élargit fortement si on passe à des énoncés de plus grandes dimensions, composés de plusieurs phrases. La structure de la phrase est rigide, elle est donnée par la langue, et l'usager individuel ne peut y accomplir que des modifications mineures. La structure de l'énoncé, en revanche, est beaucoup plus lâche, de multiples variations y sont possibles ; par conséquent l'énoncé, suite logique de plusieurs phrases, est moins transparent que la phrase. Dans la conscience des locuteurs, la phrase va de soi ; elle a un caractère naturel qui la rend imperceptible. L'énoncé, en revanche, présuppose toujours une décision de la part du locuteur, surtout en ce qui concerne son organisation globale.

Cette variété de l'aspect littéral d'un énoncé est, elle aussi, un thème fréquent des lettres de Mme de Merteuil. Voici la caractéristique qu'elle lui donne, à propos d'une lettre de Valmont : « ... il n'y a rien de si difficile en amour que d'écrire ce qu'on ne sent pas. Je dis écrire d'une façon vraisemblable : ce n'est pas qu'on ne se serve des mêmes mots ; mais on ne les arrange pas de même, ou plutôt on les arrange, et cela suffit. Relisez votre Lettre : il y règne un ordre qui vous décèle à chaque phrase » (l. 33).

Une tâche particulière est réservée au « style » : celle de rendre vraisemblable un autre énoncé qui aurait bien « les mêmes mots », mais différemment arrangés. Valmont se montre tout à fait pénétré de l'esprit prêché par Mme de Merteuil car plus tard il écrit : « ... j'ai mis beaucoup de soin à ma Lettre et j'ai tâché d'y répandre ce désordre, qui peut seul peindre le sentiment » (l. 70).

Tenir compte de l'aspect littéral d'un énoncé, c'est pourvoir cet énoncé d'une certaine opacité, car sa signification se compose dans ce cas, non seulement de ce qu'il évoque, mais aussi de ce qu'il est. Cet aspect n'en est pas moins lié au sens des mots. Il existe en face de lui un autre qui présente un degré plus élevé d'opacité de l'énoncé : ici, l'énoncé n'est plus considéré comme une suite cohérente de mots, mais comme un objet. Cet aspect de l'énoncé peut être appelé son aspect matériel ; et il peut également modifier sa signification globale. Dans le cas de la lettre, cet aspect prend la forme d'une feuille de papier sur laquelle cette lettre est écrite, de l'encre, de l'écriture. On peut se demander dans quelle mesure faut-il tenir compte, dans l'étude de la signification, de traits aussi contingents que le papier et l'encre ; mais il est facile de s'apercevoir que, dans le cas contraire, une partie du sens des lettres serait passée inaperçue.

Prenons le cas fréquent dans le roman, de la lettre couverte de larmes (l. 44, 97, 124). Cet indice peut fortement modifier le message, il peut même se substituer à lui. Ainsi pour Valmont : « Je les [d'autres lettres] replaçai avec humeur ; mais elle s'adoucit, en trouvant sous ma main les morceaux de ma fameuse Lettre de Dijon, soigneusement rassemblés. Heureusement il me prit fantaisie de la parcourir. Jugez de ma joie, en y apercevant les traces, bien distinctes, des larmes de mon adorable Dévote. Je l'avoue, je cédai à un mouvement de jeune homme, et baisai cette Lettre avec un transport dont je ne me croyais plus susceptible » (l. 44). Non recouverte de larmes, cette lettre aurait un tout autre sens ou n'en aurait aucun. La même lettre contient également une autre manifestation de l'aspect matériel, qui détermine son sens : « ce qui me surprit plus agréablement encore, fut de retrouver la première [lettre] de toutes, celle que je croyais m'avoir été rendue par une ingrate, fidèlement recopiée par sa main ; et d'une écriture altérée et tremblante, qui témoignait assez la douce agitation de son cœur pendant cette occupation » (l. 44).

Ces exemples en rappellent un autre, emprunté celui-ci à l'histoire et non plus à la littérature : l'éclatement d'une insurrection au XIXe siècle fut annoncé par une lettre écrite non avec de l'encre mais avec du sang. Le message de cette lettre appelée par la suite « la lettre ensanglantée » s'est trouvé on ne peut mieux confirmé et illustré par son aspect matériel. Cet aspect matériel (la forme extérieure de l'énoncé) échappe à l'attention des chercheurs ; pourtant il a des manifestations multiples dans la communication quotidienne. Ainsi chaque professeur se laisse influencer par l'aspect lisible ou illisible du texte qui lui est présenté ; on ne reçoit pas le même message suivant que le texte se trouve sur une feuille propre ou sale, suivant qu'il y est disposé de telle ou telle façon. Le phénomène répandu qui consiste à ne pas pouvoir s'isoler de son propre texte avant qu'il soit tapé à la machine ou même imprimé fait ressortir le même aspect matériel de l'énoncé.

On pourrait être tenté d'observer que la matérialité de la lettre la distingue de beaucoup d'autres signes (ou messages) et notamment de la langue parlée : celle-ci a un support phonique et non pas matériel. Mais si on entend ce terme dans un sens plus large, on pourra également rendre compte de ces changements dans le sens de l'énoncé qui sont dus à une voix tremblante ou trop calme, à des mouvements des mains très rapides (dans un langage de gestes), et ainsi de suite. Cet aspect de l'énoncé, exclu avec raison du champ de la linguistique classique, devient pertinent dans un examen sémiotique.

C'est en tenant compte de ces côtés matériels des énoncés qu'on pourra seulement préciser la relation entre l'écrit et le parlé. Le texte écrit peut être conservé (il s'oppose ainsi à l'instantanéïté de la parole). Pour la même raison, il peut être réitéré sans que son sens en soit altéré sensiblement. Danceny recopie certaines lettres de Mme de Merteuil ; la seule différence significative est dans la connotation, comme on le verra plus tard : la copie n'a pas la valeur d'authenticité qu'a la lettre originale.

L'opposition entre l'écrit et le parlé mérite d'être soulignée : on oublie trop souvent que l'œuvre littéraire, de notre temps tout au moins, représente un discours écrit et non parlé. Cet oubli a même une base théorique bien que la théorie en question (la glossématique) ne se soit pas constituée à propos de la littérature. Selon les glossématiciens, en effet, l'opposition entre langue parlée et écrite n'est que dans la substance, alors que la configuration du langage est une pure forme. Que cette forme soit manifestée par des lettres ou par des sons, nous dit-on dans cette théorie, la forme linguistique et par conséquent le langage lui-même ne sont nullement atteints, du point de vue linguistique il s'agit toujours de la même chose.

Mais l'aspect matériel est, on l'a vu, un des facteurs qui déterminent la signification d'un énoncé ; il est donc impossible de concevoir la différence entre écrit et parlé comme non-linguistique.

L'aspect matériel d'un énoncé appartient à un ensemble d'éléments, qu'on appelle le « procès d'énonciation » (à ne pas confondre avec l'acte d'émission qui n'en est qu'une des parties). Tous les éléments constitutifs du procès d'énonciation peuvent contribuer à un changement dans la signification de l'énoncé ; il a, en même temps, par son existence même, un sens global. Prenons par exemple les interlocuteurs, émetteur et récepteur, éléments essentiels de ce procès. L'existence d'un émetteur pour chaque énoncé est significative ; pour nous en convaincre il suffit de considérer un énoncé où cet émetteur est absent. C'est le cas de la lettre 167 ; son auteur se sent obligé de se justifier car il perçoit le sens de la lettre non signée : « Des raisons particulières m'empêchent de signer cette Lettre. Mais je compte que, pour ne pas savoir de qui elle vous vient, vous n'en rendrez pas moins justice au sentiment qui l'a dictée. »

Le récepteur lui-même se trouve dans un rapport étroit avec l'énoncé. Il n'en est pas souvent question et ceci pour des raisons identiques à celles qui concernent l'émetteur : son nom est écrit en tête de chaque lettre et sa présence est si nécessaire qu'on en parle peu. Il y a cependant des cas où le fait qu'il s'agit de ce récepteur-ci et non d'un autre prend une importance à part. Ainsi Mme de Rosemonde à Mme de Tourvel, dans la lettre 103 : « Je ne soulagerai pas vos peines, mais je les partagerai. C'est à ce titre que je recevrai volontiers vos confidences... Ce sera un faible soulagement à vos douleurs, mais au moins vous ne pleurerez pas seule : et quand ce malheureux amour, prenant trop d'empire sur vous, vous forcera d'en parler, il vaut mieux que ce soit avec moi qu'avec *lui*. » Dans les derniers mots de cet extrait, apparaît une indication précise sur l'altération de la signification, provoquée par le changement du récepteur (et non du contenu de l'énoncé). Ce changement est encore plus sensible si, par exception, la lettre n'a pas de récepteur ; tout son sens s'en trouve modifié. C'est notamment le cas de la lettre 161 (*La Présidente de Tourvel à...*). Elle n'est pas simplement une lettre adressée à plusieurs personnes ; selon la juste remarque de Mme de Volanges, elle « ne s'adresse à personne pour s'adresser à trop de monde » (l. 160). Le roman présente, notons-le, symétriquement, une lettre sans émetteur et une lettre sans récepteur.

Dans la description du récepteur comme partie du procès d'énonciation, il faut se garder de franchir certaines limites. Le comportement du récepteur, qui suit l'acte de réception, ne fait pas partie de ce procès (ce qu'une définition imprécise de la fonction conative (ou appellative ou impressive) risque de nous faire oublier). Un bon exemple de ce comportement, provoqué par l'énoncé mais qui reste extérieur au procès d'énonciation, est discuté dans la lettre 33 : « ... à quoi vous servirait d'attendrir par des lettres, puisque vous ne seriez pas là pour en profiter ? Quand vos belles phrases produiraient l'ivresse de l'amour, vous flattez-vous qu'elle soit assez longue pour que la réflexion n'ait pas le temps d'en empêcher l'aveu ? », etc. Quel que soit le comportement du récepteur, il ne peut en rien modifier le sens intrinsèque de l'énoncé ; il en reste donc indépendant.

Deux autres composantes du procès d'énonciation sont l'acte d'émettre et de recevoir l'énoncé. Le sens ce ce premier est particulièrement bien illustré dans *Les Liaisons Dangereuses*. Valmont écrit à Mme de Tourvel « du lit et presque d'entre les bras d'une fille, [lettre] interrompue même pour une infidélité complète » (l. 47). La connaissance de ce fait influence très fortement la perception qu'a le lecteur de cette lettre (de même que celle de Mme de Merteuil qui la reçoit en même temps que son commentaire) ; ce sont ces conditions particulières de l'acte d'émission qui donnent un sens précis aux passages tels que : « et déjà je prévois que je ne finirai pas cette Lettre sans être obligé de l'interrompre », « Jamais, je n'eus tant de plaisir en vous écrivant » (l. 148).

Il y a une première conclusion à tirer de cette analyse. Elle montre combien est fausse cette image d'après laquelle le locuteur dispose d'un sens préexistant, qu'il exprime par les formes linguistiques ; la verbalisation est un procès dont tous les éléments et tous les aspects sont significatifs, bien qu'à des degrés différents. Le sens n'existe pas avant d'être articulé et perçu, il naît à ce moment même et ne se réduit pas à l'information apportée par l'aspect référentiel de l'énoncé ; il n'existe pas deux énoncés au sens identique si leur articulation s'est déroulée différemment. L'emploi même du mot *code* est dangereux ; il pourrait nous faire croire justement au mythe de la signification préexistante. Il est clair, dans cette perspective, que la tâche des sciences de la signification ne sera pas d'épuiser celle-ci par énumération, mais plutôt de montrer les conditions de sa formation et de son existence, de révéler les différents aspects qui y contribuent, de décrire les relations qu'entretiennent ceux-ci, etc.

Comment se fait-il que les théories linguistiques courantes, en s'interrogeant sur le sens de l'énoncé, ne s'occupent guère des aspects de la signification, apportés par le procès d'énonciation ? L'une des principales raisons est sans doute le fait que ces théories se réfèrent, explicitement ou non, à la parole dite et non au discours écrit, c'est-à-dire à un cas particulier de la production verbale, qui se caractérise par une présence maximum de tous les éléments du procès d'énonciation (ainsi ceux que R. Jakobson appelle « émetteur », « récepteur », « contexte », « contact »). Pourtant dans le cas d'un texte écrit, aucun de ces éléments ne se manifeste de la même façon que dans le cas de la parole dite. Le texte écrit, et surtout imprimé, ne nous renseigne pas sur son auteur qui, en principe, est absent lors de la perception. Le récepteur d'un message écrit est indéfini au possible : comment prévoir qui lira un texte, et le lira-t-on jamais ? Le texte écrit n'a pas, dans la grande majorité des cas, de contexte, c'est-à-dire de situation désignée, présente en même temps que lui aux yeux du récepteur. Enfin, il est difficile de parler du contact, dans la mesure où entre l'acte d'émission et l'acte de réception peuvent s'écouler des siècles.

Ces oppositions sont d'une importance capitale. Le langage supplée à ses manques : si dans le cas de la parole dite, la présence de tous ces facteurs en dehors de l'énoncé provoque leur absence à l'intérieur de celui-ci, dans le texte écrit c'est par une présence particulièrement sensible que se manifeste leur absence « réelle ». Voici pourquoi, dans le cas des lettres, nous ne pouvions pas passer à côté des éléments du procès d'énonciation. Aucune parole n'évoque une image de son émetteur (et même de son récepteur) aussi riche que celle du texte écrit : précisément parce que son émetteur et son récepteur sont censés rester absents ou inconnus. La parole n'évoque pas la réalité à laquelle elle se réfère ; les mots dits sont la mort des choses ; mais on connaît depuis toujours cette propriété puissante de la littérature, des combinaisons de lettres, de recréer, d'instaurer une réalité qui n'a aucune autre existence. Absence et présence se désignent l'une l'autre ; et Artaud parlait déjà d'« un silence pétri de pensées qui existe entre les membres d'une phrase écrite ».

1. *QUELQUES CAS PARTICULIERS.*

1. La citation.

Tout au long du livre, des lettres voyagent entre les personnages. Mais l'enveloppe contient souvent plus d'un message : d'autres lettres accompagnent celles qui sont adressées directement de l'un à l'autre. Le but est parfois de donner une simple information, parfois de fournir la preuve d'un acte accompli. Ces messages « au deuxième degré » entretiennent visiblement le même rapport avec les lettres ordinaires que la citation, parole au deuxième degré, avec le discours par lequel elle est reprise. Comment définir la citation dans le cadre du modèle formel proposé auparavant ? Désignons, dans ce but, par émetteur 1 et récepteur 1 les interlocuteurs de la lettre de base, par émetteur 2 et récepteur 2 ceux de la lettre citée. Le cas le plus courant semble être celui où la lettre (ou la parole) citée doit avoir un autre émetteur ; on peut le formuler ainsi : émetteur 1 $\neq$ émetteur 2, récepteur 1 $=$ récepteur 2. Par exemple Mme de Merteuil joint à la lettre qu'elle envoie à Valmont celles adressées à Valmont par Mme de Tourvel. Mais le cas inverse est également possible ; sa formule serait la suivante : émetteur 1 $=$ $=$ émetteur 2, récepteur 1 $\neq$ récepteur 2. Valmont envoie à Mme de Merteuil des lettres qu'il avait préalablement envoyées à Tourvel.

Très souvent aussi, aucune de ces deux équations n'est gardée ; mais un rapport quelconque existe entre les interlocuteurs. Ainsi Valmont envoie à Mme de Merteuil les lettres qu'il a reçues de Tourvel ; les relations sont les suivantes : émetteur 1 $=$ récepteur 2, émetteur 2 $\neq$ récepteur 1. Le cas inverse se trouve esquissé dans la lettre 162 : Danceny écrit à Valmont citant une lettre de Valmont à Mme de Merteuil ; donc émetteur 2 $=$ récepteur 1, émetteur 1 $\neq$ récepteur 2. Enfin, deux cas limites peuvent exister : lorsque émetteur 1 $=$ récepteur 2, et émetteur 2 $=$ récepteur 1 ; en d'autres mots, lorsque le destinataire renvoie la lettre reçue à son auteur (c'est ce que fait Mme de Volanges, d'après la lettre 154). D'autre part, il est aussi possible qu'aucune relation n'existe entre les interlocuteurs de la première et de la deuxième lettre : ainsi Danceny envoie à Mme de Rosemonde les lettres échangées entre Valmont et Mme de Merteuil.

Le trait commun à tous ces cas était le changement d'un des interlocuteurs ; mais est-ce vraiment là une condition nécessaire de la citation ? Dans la lettre 82, Cécile demande à Danceny qu'il lui renvoie un jour ses propres lettres (puisque sa mère s'en était emparées et les avait renvoyées à Danceny). Si Danceny envoie à Cécile les lettres qu'il lui avait déjà envoyées une fois, alors émetteur 1 = émetteur 2 ; récepteur 1 = récepteur 2, et néanmoins, la lettre renvoyée aurait les qualités d'une citation.

Dans le cas de la parole, on peut imaginer une situation où X dit à Y : « Je vous disais il y a encore un an : divorcez ! ». Dans ce cas, X cite à Y ses propres paroles ; et il n'y a de changement, ni dans l'émetteur, ni dans le récepteur. Qu'est-ce qui diffère ? C'est le procès entier d'énonciation ; la citation peut être définie comme un énoncé à double procès d'énonciation, un énoncé dont l'énonciation actuelle n'est pas originale.

Certains exemples plus particuliers permettront de préciser cette définition. Le premier c'est l'attitude de Valmont envers la correspondance de Mme de Tourvel : dans la lettre 44, il raconte comment il s'empare des lettres de ses adversaires inconnus (à l'aide de la femme de chambre de Tourvel) ; plus tard, il intercepte les lettres de Tourvel à Mme de Rosemonde (l. 110, 115, 125). Peut-on parler ici d'une citation ? Evidemment non ; et la raison en est que, dans ce cas, il n'existe pas d'émetteur 1, il n'y a qu'une lettre destinée à quelqu'un, et un autre s'en empare ; mais cette lettre ne lui a jamais été envoyée par quiconque. Il s'agit de l'*interception* qui consiste dans un dédoublement du récepteur ; il n'y a pas d'intégration d'un discours dans un autre ; et il n'y a donc pas de citation.

Un autre cas particulier de citation est décrit dans la lettre 141 ; il s'agit de la fameuse lettre envoyée par Mme de Merteuil à Valmont et renvoyée par ce dernier, en son nom, à Tourvel. S'agit-il ici, au fait, d'une citation ? Il faut d'abord dire que cet exemple cumule deux phénomènes différents : d'une part, il n'existe pas d'énoncé 1 ; de l'autre, le récepteur 1 (Tourvel) ignore qu'il s'agit là d'une citation. La première condition ne semble pas, à elle seule, empêcher la possibilité d'une citation : on peut facilement imaginer que quelqu'un citerait une phrase sans la précéder par la formule : « Comme dit X... ». Mais pour que cette phrase soit perçue comme citation, une des deux conditions suivantes doit être remplie : soit le récepteur 1 n'ignore pas l'existence d'émetteur 2 et de récepteur 2, en d'autres mots, il sait qu'il s'agit d'une citation ; soit l'émetteur 1 marque par un signe conventionnel — qui n'est pas un énoncé lui-même — qu'il s'agit-là d'une parole rapportée : par exemple, une intonation particulière ou bien, dans la langue écrite, des guillemets. Aucune de ces conditions n'est remplie dans le cas cité, et c'est la raison pour laquelle Tourvel ne perçoit pas cette lettre comme une citation, mais comme un message original. Néanmoins, pour Valmont, cette lettre garde la valeur d'une citation ; la citation n'existe donc que pour un des interlocuteurs. Tous les cas sont possibles ici : le récepteur peut savoir qu'il s'agit d'une citation alors que l'émetteur l'ignore ; tous deux peuvent l'ignorer. Mais en fin de compte, pour qu'un énoncé soit une citation, il faut qu'il soit perçu comme tel (sans parti pris philosophique !) par une personne au moins ; et celle-ci ne l'ignorera pas.

Enfin, un troisième cas limite de la citation est celui où un message est adressé à un large public, alors qu'il avait été destiné initialement à une seule personne ; c'est donc un cas de multiplication des récepteurs. Ce cas reste visiblement dans les limites de la citation, mais il est particulièrement intéressant car il fournit la structure formelle de l'action d'« afficher » qui joue, comme on le verra plus loin, un rôle important dans la structure du roman. En effet, presque tous les cas où l'on affiche quelqu'un sont réalisés par la publicité donnée à une lettre : ainsi en est-il de la Vicomtesse, dans la lettre 71, de la Marquise de Merteuil, dans les lettres 168-175. Valmont expose ainsi les principes de ce procédé : « ... ces Lettres... peuvent devenir utiles... En choisissant bien dans cette correspondance, et en n'en produisant qu'une partie, la petite Volanges paraîtrait avoir fait toutes les premières démarches, et s'être absolument jetée à la tête. Quelques-unes des Lettres pourraient même compromettre la mère... », etc. (l. 66). Ainsi la citation reçoit une utilisation inattendue.

2. Enoncé réflexif et énoncé performatif.

La citation est un énoncé dont le procès de l'énonciation n'est pas original. Ce n'est pas l'unique manifestation particulière de ce procès. Une autre se réalise dans l'énoncé réflexif si on donne ce nom aux énoncés qui traitent d'eux-mêmes. Ainsi Valmont peut écrire : « Je me sens plus calme depuis que je vous écris » (l. 100). Il parle donc, à l'intérieur de l'énoncé, d'un des éléments du procès d'énonciation de ce même énoncé, de son acte d'émission.

Les lettres qui, dans *Les Liaisons Dangereuses*, traitent de ces lettres mêmes, permettent de relever plusieurs caractéristiques de l'énoncé réflexif. D'abord, tous les aspects de l'énoncé peuvent y être discutés (à part son aspect référentiel), aussi bien son procès d'énonciation (comme dans la citation précédente) que son aspect littéral, ce qu'évoque la lettre 64 : « si cette Lettre a peu d'ordre et de suite, vous devez sentir assez combien ma situation est douloureuse ».

Du point de vue formel, ces extraits n'offrent rien de particulier par rapport à ceux qui traitent d'autres lettres. Il faut évidemment noter cette possibilité qu'a le discours de se retourner sur lui-même puisqu'il la réalise très souvent ; mais l'énoncé réflexif n'a pas une structure différente de celle des autres énoncés. De même que l'énoncé ordinaire, il a un référent ; seulement celui-ci coïncide avec l'énoncé lui-même. Son trait le plus important est à chercher ailleurs.

Cette aptitude de l'énoncé à traiter de lui-même engendre des possibilités infinies d'emboîtement des énoncés et, en dernier compte, de sens nouveaux. La partie réflexive étant beaucoup plus étendue qu'on ne le croit d'habitude, on trouve ici une explication supplémentaire à l'impossibilité d'épuiser le sens. La capacité de l'énoncé de traiter de lui-même ouvre une voie vertigineuse à la création de nouveaux sens et, quelque consciencieux qu'on soit dans ses descriptions successives, une partie de ce sens restera toujours hors d'atteinte. La seule solution possible est, évidemment, de renoncer au désir de décrire et d'exposer le sens de l'œuvre, pour ne traiter que des conditions dans lesquelles il apparaît.

L'énoncé performatif a une ressemblance apparente avec le réflexif. Comme le sens de ce terme, introduit par le philosophe anglais John Austin, n'est pas tout à fait établi, il est nécessaire d'abord de le définir. Pour Austin, l'énoncé performatif « sert à effectuer une action » (à l'inverse du constatif) et « formuler un tel énoncé, *c'est* effectuer l'action » (« Performatif-Constatif », in : *La philosophie analytique*, Paris, 1962, p. 270). Mais la conception d'après laquelle on considère l'énoncé constatif comme une absence d'action tient compte uniquement du sujet de l'énoncé et non de celui de l'énonciation. Il est pourtant nécessaire de s'occuper dès le début de ce dernier sujet car dans le cas du performatif c'est lui qui effectue l'action. La signification de chaque énoncé est en partie constituée par le sens de son procès d'énonciation. Du point de vue du sujet de l'énonciation, toute phrase, tout énoncé est en même temps action, à savoir l'action d'articuler cet énoncé. Il n'existe donc pas d'énoncé qui ne soit performatif dans le sens donné à ce mot par Austin ; il s'agit en fait de l'empreinte du procès d'énonciation dans l'énoncé.

Le procès d'énonciation laisse son empreinte sur tout énoncé ; mais les cas décrits par Austin ont une spécificité supplémentaire : la description proposée n'est donc pas suffisante. Il faut introduire une nouvelle distinction pour pouvoir opposer le performatif au constatif. Le performatif concerne les cas où le procès auquel se réfère l'énoncé consiste dans le procès d'énonciation de cette même phrase ; le constatif apparaît dans les phrases qui présentent simplement l'empreinte du procès d'énonciation dans l'énoncé, ce dernier désignant un procès différent de celui de sa propre énonciation. Ainsi la phrase : « Vous êtes un imbécile ! » met en question son propre procès d'énonciation, c'est un acte, une insulte ; mais en même temps elle garde un aspect référentiel, elle se réfère à une réalité qui lui est extérieure et reste par là-même constative. En revanche, la phrase « Je décrète la mobilisation générale » (performatif) ne désigne aucun phénomène extérieur.

Dans la plupart des cas les éléments linguistiques nécessaires à cette phrase ne sont que deux : le pronom personnel de première personne et un verbe « déclaratif-jussif » au présent de l'indicatif.

Le complément de ce verbe ou, souvent, la proposition subordonnée qui le remplace, n'est limité par aucune contrainte. Cette seconde proposition (ou ce complément) peut donc avoir la valeur du constatif ; et cette valeur ne disparaît pas après son englobement dans la phrase. Si je dis : « Je jure que j'étais chez moi hier à dix heures du soir », il s'agit évidemment d'un performatif ; mais il n'en est pas moins clair que cette phrase a aussi un côté constatif, elle renseigne, par la propositon subordonnée, sur ma présence à un certain endroit, hier à dix heures. Cette dernière proposition peut être vraie ou fausse alors que pour le performatif la question de la vérité ne peut pas se poser. Il ne faut pas oublier cet aspect du phénomène si l'on veut expliquer la valeur constative des énoncés performatifs.

On doit se garder soigneusement de confondre énoncés performatifs et énoncés réflexifs, confusion d'autant plus facile qu'on pourrait appeler l'un et l'autre des « énoncés sui-référentiels ». Le texte des *Liaisons Dangereuses* offre d'ailleurs un exemple assez complexe qui semble à première vue se trouver à la limite entre les deux types d'énoncé. La lettre 4 se termine par la phrase suivante : « ... et j'y finis cette trop longue Lettre ». Cet énoncé est, malgré les apparences, un énoncé réflexif et non performatif. Il fait partie de la famille de phrases du type : « J'écris en ce moment », etc. C'est avant tout une description, et l'acte décrit aurait lieu (et serait perceptible) même si la phrase en question était toute autre. L'acte décrit ne consiste pas en l'acte de l'énonciation, mais il coïncide avec ce dernier.

3. *LA CONNOTATION DES LETTRES.*

Dans les pages qui précèdent, on a signalé l'importance du procès d'énonciation pour la signification d'un énoncé, mais sans examiner sa teneur particulière dans *Les Liaisons Dangereuses*. Cette description apparaît d'autant plus indispensable que le procès d'énonciation semble pouvoir se charger de deux types de signification. Le premier se manifeste à propos de tous les personnages et de toutes les lettres ; le second, d'une lettre particulière ou d'un seul personnage. On appellera ici le premier type de signification, *la connotation*, le second, *les associations individuelles*.

Le terme de connotation, comme plusieurs des termes utilisés dans ce texte, a cours dans la littérature sémiotique contemporaine, c'est pourquoi il est nécessaire de préciser davantage son emploi jusqu'à maintenant et celui qu'on en fera ici.

Dans la tradition linguistique et logique, ce terme a eu essentiellement deux emplois. Le premier qui dérive de James Mill égale à peu près « signification » ; la connotation se ramène alors aux propriétés exprimées par un nom, par opposition à la dénotation qui désigne la relation entre le nom et ce qu'il dénomme. Les logiciens connaissent bien cette opposition, tout en lui donnant des noms divers : compréhension et extension, intension et extension, sens et référence.

L'autre emploi du terme nous vient également de James Mill ; mais les linguistes le connaissent surtout à travers l'œuvre de L. Bloomfield. Connotation signifie ici l'association stable d'une signification dérivée, secondaire avec la signification de base. On dira ainsi que le mot *flingue* a une connotation argotique (absente dans le mot *fusil*) ou que le mot *crin-crin* a une connotation péjorative (comparé au mot *violon*). Mais comme ces phénomènes de signification dérivée ont des caractéristiques distinctes et qu'ils ont été décrits par les linguistes sous des noms différents, le terme de connotation a été abandonné.

Plus récemment, L. Hjelmslev a repris le même terme en lui donnant un sens nouveau. Un système significatif est appelé connotatif si son expression (son signifiant) est déjà un langage. Par exemple, la langue danoise peut être considérée comme formant le plan de l'expression dans un système significatif dont le contenu sera la culture ou l'esprit danois. Les mots danois ont alors non seulement leur premier contenu (leur sens) mais aussi un contenu second qui est dit *connoté*.

Nous ferons un emploi du terme connotation qui se rapproche de celui de L. Hjelmslev mais qui est en même temps plus large que lui. On parlera de connotation chaque fois qu'un objet est chargé d'une fonction autre que sa fonction initiale. Aussi non seulement l'esprit danois est la connotation des mots de la langue danoise mais aussi l'esprit français est la connotation du bifteck-pommes frites. La signification connotative s'applique aux objets, par conséquent, elle ne relève pas de la linguistique, bien que celle-ci doive en tenir compte. D'autre part, cette signification secondaire n'est pas arbitraire, elle ne dépend pas de la volonté d'un individu. Dans toute société, qu'elle soit imaginaire ou réelle, les objets forment un système significatif, une langue, et c'est à l'intérieur d'elle qu'apparaît la connotation. C'est pourquoi les membres de cette société peuvent s'y référer sans donner d'explications.

Après cette digression, on peut revenir aux connotations de la lettre dans la société représentée par *Les Liaisons Dangereuses*. La première de celles-ci joue un petit rôle dans l'histoire ; mais par sa généralité elle mérite qu'on s'en occupe en premier. Dans ce cas, la lettre égale *la nouvelle*, c'est-à-dire un changement dans la situation précédente, ou plutôt la possibilité d'un tel changement. Cette connotation est évoquée dans les lettres 42 et 43. « Mme de Rosemonde est instruite de mon projet de passer chez elle une partie de l'automne, et il faudra au moins que j'attende une Lettre pour pouvoir prétexter une affaire qui me force à partir », écrit Valmont. Sa correspondante, Mme de Tourvel, n'est nullement étonnée de cette utilisation de la lettre (elle est au courant de la connotation) et à la première occasion elle rappelle à Valmont : « Permettez-moi de vous observer à ce sujet, que vous avez reçu une Lettre ce matin et que vous n'en avez pas profité pour annoncer votre départ à Mme de Rosemonde comme vous me l'aviez promis. » La connotation évoquée est donc la nouvelle possible et l'opposition sur laquelle elle s'articule est celle de lettre/absence de lettre. On voit bien qu'il s'agit ici d'une fonction autre que la fonction originelle des lettres qui est d'être un véhicule de messages.

Une autre connotation, beaucoup plus exploitée dans le roman, est révélée pour la première fois pleinement dans les lettres 16, 17, 18, 19. Ces lettres concernent le début de la correspondance entre Danceny et Cécile, et elles mettent en valeur l'*intimité*, connotée par toute correspondance. Ce serait là une récompense suffisante pour Danceny, selon ses propres aveux ; de même, Cécile hésite longuement avant de se décider à un geste révélant tant d'affection. La même connotation sera mise en valeur dans la correspondance entre Valmont et Tourvel. L'intimité ne prend pas nécessairement les formes de l'amour ; si les correspondants ne sont pas soupçonnés d'entretenir des rapports sexuels, il s'agira d'une amitié : « J'ai découvert pourtant que la légère personne a changé de Confidente ; au moins me suis-je assuré que, depuis son départ du Château, il n'est venu aucune Lettre d'elle pour Mme de Volanges, tandis qu'il en est venu deux pour la vieille Rosemonde » (l. 110). Ou ailleurs : « S'il ne m'est plus permis de vous revoir, répondez au moins à cette Lettre ; que je sache que vous m'aimez encore » (l. 161, Mme de Tourvel s'adressant à Mme de Volanges et Mme de Rosemonde).

Il ne faut pas sous-estimer l'importance du sens connotatif pour la signification globale de l'énoncé. Parfois, même en contradiction avec l'aspect référentiel de la lettre, la connotation est la seule qui importe. Prenons un exemple de la correspondance entre Valmont et Tourvel. Valmont se rend bien compte que l'existence d'une lettre a un sens plus important que son contenu (« je serais sûr que du moment que ma Belle aura consenti à m'écrire, je n'aurai plus rien à craindre de son mari, puisqu'elle se trouverait déjà dans la nécessité de le tromper », suite de la lettre 40). Les lettres de Tourvel à Valmont commencent régulièrement par des phrases telles que « Je ne voulais plus vous répondre, Monsieur, ... », etc (l. 67) ; ainsi elles offrent un exemple de contradiction criarde et facile à interpréter. Mme de Tourvel n'écrit donc qu'avec le but d'arrêter cette correspondance ! Il est curieux de noter que par ce procédé, Laclos affirme l'existence d'une correspondance entre les aspects du message et les couches de la conscience. C'est le niveau inconscient de la personnalité de Mme de Tourvel qui se traduit par le procès d'énonciation de ses lettres, alors que leur contenu référentiel correspond à ses pensées conscientes.

On s'aperçoit ici qu'en dehors de son contenu, la connotation a aussi une *valeur* ; celle-ci est déterminée par une stratification ultérieure de la société en cause. Ainsi pour Danceny et pour Cécile la lettre signifie l'amitié ; mais alors que pour le premier cette connotation fait d'elle un objet désiré, pour la seconde, la lettre se transforme en source de menaces. Le même contraste se manifeste dans le rapport Valmont-Tourvel : pour lui, la lettre est un premier pas vers la gloire, pour elle, vers la honte. Cette seconde valeur de la connotation est non moins attestée par le livre : Mme de Volanges ne veut pas croire à l'existence d'une liaison dangereuse pour sa fille jusqu'au moment où Merteuil évoque les Lettres : « J'allais jusqu'à dire que je croyais avoir vu donner et recevoir une Lettre... Lui connaissez-vous quelque correspondance fréquente ? Ici la figure de Mme de Volanges changea, et je vis quelques larmes rouler dans ses yeux... » (l. 63 ; une autre connotation vient s'ajouter ici). Cette opposition d'interprétation reflète évidemment la situation morale particulière qu'occupent dans la société les jeunes filles et les jeunes femmes mariées. Remarquons que toute la discussion entre Cécile et Danceny est fondée sur ces différentes interprétations et donc sur un malentendu : ils ne discutent pas des actes mais de l'interprétation à leur donner ; or leurs propres interprétations sont toutes deux valides mais pour des parties différentes de la société. Ce conflit fournit un bon exemple de maint conflit social.

Cette distinction n'atteint pas, on le voit, la connotation elle-même ; il s'agit plutôt d'une connotation supplémentaire qui concerne des parties bien définies de la société. L'opposition sur laquelle se réalise cette connotation est celle de contact (= la lettre)/absence de tout contact. Cependant, chaque fois que la lettre a cette connotation, elle ne se fonde pas sur la même opposition. Ce dont témoigne la lettre 33 où Merteuil reproche à Valmont d'avoir accepté d'entrer en correspondance avec Tourvel, au lieu de garder un contact personnel. Valmont accepte ce reproche dans sa réponse :

« Pour aller vite en amour, il vaut mieux parler qu'écrire... Eh mais ! ce sont les plus simples éléments de l'art de séduire » (l. 34). Ici la lettre, possibilité d'intimité modérée, s'oppose à la parole, possibilité d'intimité complète. Plusieurs lettres par la suite reprendront ce thème (l. 42, 51, 83, 118, 150) ; son existence prouve que cette connotation de la lettre est plus complexe : c'est un terme moyen entre le silence, le non-contact, et la parole, la présence immédiate. C'est de ce double rapport que dépend la dose présente dans chaque cas particulier, c'est lui qui détermine le dynamisme de cette connotation. Il se trouve d'ailleurs aussi explicité dans une lettre : « ce sera par lui que passera notre correspondance mutuelle. Il assure même que, si vous voulez vous laisser conduire, il nous procurera les moyens de nous y voir sans risquer de nous compromettre en rien » (l. 65). La lettre est donc un palier vers l'entrevue.

Les termes utilisés dans cette description ont donc des significations complexes ; on peut les représenter schématiquement dans le tableau suivant :

Dimension significative	Silence	Ecrire	Parler
Contact/non-contact	—	+	+
Contact direct/indirect	0	—	+

(+ désigne la présence du premier terme, — celle du second, 0 la non-pertinence de la dimension significative pour ce terme).

Cette connotation trouve dans le roman quelques réalisations plus particulières : certains aspects de la lettre et de l'acte de communication sont chargés de la connotation entière, et celle-ci y reçoit des précisions ultérieures. La première opposition par exemple se trouve représentée simplement par la longueur de la lettre (son aspect matériel) ; les grandes dimensions signifient, évidemment, une grande amitié : « Je m'aperçois qu'il est trois heures du matin, et que j'ai écrit un volume, ayant le projet de n'écrire qu'un mot. Tel est le charme de la confiante amitié... » (l. 10). Il s'agit ici d'un transfert par analogie (ou homologie) qui transpose un rapport et non simplement un terme (le superlatif de la lettre devient le superlatif de l'amitié : les quatre termes sont tous nécessaires pour que la transposition puisse se réaliser).

Un autre exemple concernera la valeur négative de la même opposition ; il illustre en même temps comment on peut se servir de la connotation à des buts personnels : il suffit pour cela de la connaître — et d'en avoir, évidemment, le désir. Ainsi Merteuil recommande ses domestiques pour transmettre les lettres entre Cécile et Danceny : « je ne serais pas fâchée de les obliger à mêler quelques domestiques dans cette aventure ; car enfin si elle se conduit à bien, comme je l'espère, il faudra qu'elle se sache immédiatement après le mariage ; et il y a peu de moyens plus sûrs pour la répandre... » (l. 63).

Un renversement spectaculaire se produit lorsqu'on demande à quelqu'un de renvoyer les lettres de son correspondant : Valmont (l. 35) tout comme Danceny (l. 64) trouve des moyens pour dissimuler la valeur négative de la connotation : Danceny évoque sa loyauté en défendant le droit de discrétion ; Valmont, plus habile insiste sur la seconde opposition : à le croire, anéantir les lettres serait, de la part de Tourvel, avouer son amour pour lui. Au lieu de confronter la lettre avec le silence, il la compare à la parole.

On peut appeler une troisième connotation *l'authenticité*. En effet, dans beaucoup de lettres, la lettre se présente sous l'aspect d'une preuve certaine, incontestable. Ainsi, le grand contrat du roman, entre Merteuil et Valmont, doit être résolu par l'existence d'une preuve écrite : « Vous n'ignorez pas que dans les affaires importantes, on ne reçoit de preuves que par écrit », insiste Merteuil dès le début (l. 20), et lorsque la réalisation est proche, elle le rappelle à nouveau (l. 131). C'est ainsi que Danceny arrive à croire aux révélations cruelles de Merteuil : « J'ai vu la preuve de votre trahison écrite de votre main », écrit-il à Valmont (l. 162) ; et c'est ainsi que Mme de Rosemonde sera convaincue de la culpabilité de Danceny dans le duel : « Le billet de M. Danceny que vous m'avez envoyé est une preuve bien convaincante que c'est lui... » (l. 164). C'est encore Merteuil qui en a la conscience et qui s'en soucie le plus : « cela rend aussi très important de ne rien laisser entre ses mains qui puisse nous compromettre, et je vous prie d'y avoir attention » (l. 106). Mais c'est là aussi son seul point faible qui la mènera à la ruine.

L'opposition pertinente qui permet à cette connotation de se réaliser, est évidemment celle de « écrire/parler » ; « parler » est ainsi rapproché du manque total de preuve.

Cette dernière apposition permet de donner une vue d'ensemble sur les connotations établies. Il n'y a entre elles aucun rapport de détermination ; chacune est indépendante des deux autres. Pourquoi la société des personnages qui habitent l'univers des *Liaisons* s'est-elle arrêtée sur ces trois connotations, sur ces trois aspects de la lettre, et non sur d'autres, c'est une question qui dépasse notre compétence. Mais si les qualités connotées sont différentes, les oppositions sur lesquelles elles se réalisent sont très homogènes et peuvent être résumées dans le tableau suivant :

Dimension significative	« nouvelle »	« intimité »	« authenticité »
écrire/absence de contact	+	+	0
écrire/parler	0	—	+

Voici à présent quelques cas d'associations individuelles qui permettront de mieux saisir en quoi elles diffèrent des connotations. On se souvient par exemple du sens particulier que prend pour Valmont le fait d'écrire une certaine lettre « d'entre les bras d'une fille » (l. 47-48) ; mais c'est un sens dont Valmont et Merteuil sont les seules à jouir ; il n'est pas social ; et il n'existerait pas si l'on ne racontait son origine, son histoire.

Voici une autre signification toute particulière qui apparaît dans les dernières lettres du roman, échangées entre Mme de Volanges et Mme de Rosemonde. Mme de Volanges établit, dans ce cas, un code précis et particulier : « Enfin, je m'arrête à un parti qui me laisse encore quelque espoir, et j'attends de votre amitié que vous ne vous refuserez pas à ce que je désire : c'est de me répondre si j'ai à peu près compris ce que vous pouviez avoir à me dire... Si mes malheurs excèdent cette mesure alors je consens à vous laisser en effet ne vous expliquer que par votre silence. » Comprenant elle-même l'importande donnée à cet acte, elle ajoute : « Vous jugez combien je désire que vous me répondiez, et quel coup affreux me porterait votre silence » (l. 173). Alors, l'auteur ne se satisfait pas de la simple absence d'une lettre-réponse mais fait le Rédacteur remarquer à cet endroit : « Cette Lettre est restée sans réponse. » Et Mme de Volanges commente plus tard : « J'espère que vous n'oublierez pas, ma chère amie, que dans ce grand sacrifice que je fais, je n'ai d'autre motif, pour m'y croire obligée, que le silence que vous avez gardé vis-à-vis de moi » (l. 175). Il est bien évident que la signification prise ici par la présence ou l'absence des lettres n'est pas une connotation ; elle ne va pas « de soi », mais est explicitement indiquée dans une convention.

Ces deux types de signification, obligatoire et individuelle, concernent, on l'a déjà dit, le procès d'énonciation. Il faut y insister pour ne pas confondre la connotation avec une interprétation générale donnée au phénomène « lettre » au cours du roman. Dans ce dernier cas, il ne s'agit pas de la signification de l'acte d'écrire des lettres ou d'en recevoir, mais d'une discussion quasi philosophique de la lettre. Deux lettres dans le roman sont presque exclusivement consacrées à cette question (l. 105, post-scriptum et l. 150). Ces deux lettres présentent deux idées opposées de la lettre et, d'une façon plus générale, du message. Danceny (l. 150) défend la conception romantique de l'essence de la lettre : c'est avant tout une expression de celui qui écrit, l'image de son auteur : « Mais une Lettre est le portrait de l'âme. Elle n'a pas, comme une froide image, cette stagnance si éloignée de l'amour ; elle se prête à tous nos mouvements : tour à tour elle s'anime, elle jouit, elle se repose... » A cette conception romantique s'oppose la conception pragmatique de Merteuil : pour celle-ci, le contenu d'une lettre n'est pas déterminé par son émetteur mais par son récepteur : « ... quand vous écrivez à quelqu'un, c'est pour lui et non pas pour vous ; vous devez donc moins chercher à lui dire ce que vous pensez que ce qui lui plaît davantage » (l. 105). Cette description révèle brillamment les traits qui distinguent les lettres de la Marquise de celles de tous les autres personnages ; elle est la seule à viser, dans toutes ses lettres, la réaction de son interlocuteur, et non l'expression de ses sentiments. Même Valmont ne se conforme pas aux idées de Merteuil dans la plupart des lettres qu'il lui adresse.

II. L'INTERPRÉTATION DU LECTEUR.

1. *LA LETTRE COMME PROCÉDÉ.*

Après avoir traité de la signification des lettres du point de vue des personnages, on doit à présent, revenir à la place du lecteur, et se demander à nouveau : pourquoi les lettres ? En quoi le roman a-t-il besoin d'être écrit en lettres, quelle est donc leur fonction ?

D'abord chaque lettre représente l'énoncé personnel d'un des personnages. L'opposition entre être et paraître, sur laquelle on aura à revenir, ne pourrait pas être justifiée si certaines parties du récit n'étaient pas directement racontées par un personnage. En effet, seul le personnage peut transmettre d'une manière « naturelle » sa vision individuelle des événements relatés, qu'elle soit vraie ou fausse, compréhensive ou superficielle ; si l'auteur d'un roman en faisait autant, on sentirait davantage le caractère superficiel du procédé. Les visions multiples du même événement, fait essentiel dans la structure des *Liaisons*, sont incarnées dans les paroles d'un personnage, qui ont ici la forme de lettres.

Un emploi particulier de cette propriété de la lettre consiste à montrer les différents visages d'un personnage à travers ses propres lettres. C'est le cas des lettres 104, 105 et 106, écrites par Merteuil, et défendant des vues tout à fait contradictoires. Cette manière de procéder, de la part d'un personnage, le caractérise beaucoup mieux aux yeux du lecteur qu'une description donnée par quelqu'un d'autre. La lettre a donc deux utilisations complémentaires : d'une part, les lettres des différents personnages sur un même événement (ou personnage) nous en donnent une vision « stéréoscopique » ; d'autre part, les différentes lettres d'une même personne révèlent la complexité — ou l'hypocrisie — de cette personne, son habileté à revêtir des masques différents. La lettre révèle d'autre part, la façon dont les personnages perçoivent les événements racontés. Comme les lettres n'ont généralement qu'un seul destinataire, les personnages sont souvent moins bien renseignés que le lecteur. Par exemple, il sait bien quel est l'adversaire de Valmont auprès de la Présidente, mais Valmont lui-même doit dépenser des efforts considérables pour l'apprendre. Le lecteur se trouve donc ici supérieur aux personnages, il est seul à être omniscient, les personnages ne sont que des petites pièces sur l'échiquier de l'intrigue. Mais le même procédé trouve aussi l'utilisation inverse : à certains moments, le lecteur reste plongé dans le mystère, alors que les personnages savent parfaitement de quoi il s'agit, précisément parce qu'il ne peut rien apprendre hors de ce que ceux-là se disent dans leurs lettres. Ainsi les rebondissements de l'intrigue entre Danceny et Cécile sont présentés à chaque fois comme des mystères ; il en est de même pour le dénouement de l'intrigue entre Valmont et Tourvel (la fin de la troisième partie).

La spécificité de la lettre dans ce procédé ne doit pas être surestimée : en fait, la lettre a ici exactement les mêmes fonctions que tout style direct. Dans chaque roman qui utilise le style direct, se retrouvent des effets semblables. Les paroles des différents personnages pourraient aussi bien décrire le même fait de différents côtés ; et par la variété des intonations qu'il sait prendre dans ses répliques, caractériser autant un personnage. Le style direct est un moyen qui fait que le lecteur est, en même temps, plus et moins informé que les personnages sur le développement de l'intrigue. Les lettres ne sont donc qu'une incarnation particulière de cette possibilité générale offerte par le style direct ; et en cela, comme on l'a déjà remarqué, *Les Liaisons Dangereuses* se rapprochent du drame.

Les emplois des lettres ainsi énumérés ne constituent pas la seule fonction de la forme épistolaire. Un autre emploi, tout aussi évident, se fonde sur la propriété de la lettre à constituer une unité fermée et par-là même, à rompre la continuité du récit. Dans la lettre, ces coupures trouvent une justification parfaite ; quant aux buts atteints par ce procédé, ils sont multiples. Ainsi la possibilité qui s'offre d'entrelacer les fils de l'intrigue. *Les Liaisons* sont construites, on le verra plus loin, sur le récit simultané de trois histoires pour le moins, sur les trois images féminines centrales du livre ; Tourvel, Merteuil et Cécile. Dès le début du livre, ces histoires vont de pair, surtout celles de Cécile et de Tourvel. Cet entrelacement offre par lui-même plusieurs possibilités : le parallélisme en est une ; les ruptures dans le récit, une autre. Ces ruptures qui relèvent de la technique du roman d'aventures servent à soutenir l'intérêt du lecteur. Ainsi au moment où le lecteur attend une explication du revirement inattendu de Cécile (l. 49), il doit d'abord lire une lettre de Mme de Tourvel (l. 50) qui ne s'y rapporte nullement, pour arriver ensuite à la lettre-explication (l. 51).

Un autre emploi de ce procédé de disposition converge avec la première utilisation des lettres : les lettres qui se suivent peuvent servir non seulement à retarder l'action, mais aussi au contraste. Ainsi la plupart des lettres de Valmont à la Présidente sont suivies ou précédées par une lettre de lui à Merteuil, qui révèle des sentiments opposés à ceux déclarés dans la première lettre.

Le fait que le roman soit raconté en lettres, offre au récit la possibilité des déformations temporelles. Ces déformations consistent dans le décalage entre l'ordre chronologique des événements décrits et l'ordre de leur succession dans le roman (rappelons que les formalistes russes y voyaient la distinction essentielle entre le sujet, notion du texte, et la fable, notion de l'univers représenté). Ces inversions temporelles, quoique peu fréquentes, jouent un rôle certain dans la construction de l'histoire ; et ce procédé trouve sa justification dans la forme épistolaire. Ainsi les lettres 21 (de Valmont) et 22 (de Tourvel) décrivent le même événement et sont envoyées le même jour. Cependant, la lettre 22 a été écrite quelques heures plus tôt que la lettre 21 : leur ordre représente donc une déformation temporelle. L'auteur a besoin de placer la lettre 21 avant la lettre 22 car il préfère ne pas laisser le lecteur se méprendre sur les véritables intentions de Valmont. Ce déplacement artificiel est dissimulé grâce à une coupure fondée elle-même sur le caractère discontinu des lettres : la lettre de Valmont (21) s'interrompt exactement au moment où il a terminé de relater les événements que décrira la lettre de Tourvel (22), et ceci, sur un prétexte futile : « Mais on m'avertit que le souper est servi, et il serait trop tard pour que cette lettre partît si je ne la fermais qu'en me retirant. » La suite de cette lettre interrompue est la lettre 23 ; celle-ci décrit ce qui s'est passé dans l'intervalle de temps écoulé entre le moment où est écrite la lettre 22, et celui où est écrite la lettre 21. Par un jeu assez complexe de déplacements et d'interruptions, l'auteur affiche encore une fois sa soumission aux principes de la vraisemblance.

Généralisant les nuances de cette seconde fonction (la disposition préméditée des lettres), on peut dire qu'elles reflètent l'intervention de l'auteur dans le cours du récit. Cette utilisation des lettres relève donc du rôle plus général que peut jouer le narrateur dans l'histoire qu'il raconte, sans que pour cela il soit nécessaire qu'il apparaisse sur scène.

Les deux grandes fonctions des lettres relèvent des deux modes propres à tout récit. Chaque roman se trouve entre deux pôles opposés. L'un pourrait être incarné par un récit qui ne dispose que de la narration, d'un récit impersonnel, à la troisième personne, sur des événements quelconques (la chronique) ; l'autre serait représenté par le drame ; l'auteur n'est nullement présent, et les personnages vivent à travers leurs répliques. En fait, et malgré les apparences, ni l'un ni l'autre pôle de ces modes du récit n'est souvent réalisé (est-il réalisable ?). *Les Liaisons Dangereuses* qui semblent être le roman-type du second genre, ne sont pas, comme on le voit, exemptes de certaines interventions de l'auteur-narrateur.

Il ne faut toutefois pas confondre le narrateur avec la fonction narrative dans le récit. Dans *Les Liaisons Dangereuses*, la narration est présente bien qu'il n'y ait pas présence immédiate de l'auteur ; on la trouvera dans les lettres où l'accent est mis sur l'aspect référentiel, et non sur la littéralité ou sur le procès d'énonciation. Ainsi, dans la majeure partie du roman, jusqu'au dénouement, ce sont Valmont dans ses lettres à Merteuil et, en partie, Merteuil dans ses réponses, qui jouent le rôle du narrateur. Cependant, au moment du conflit entre ces deux personnages, lorsque le désir de possession et l'hostilité prennent la place de la confidence, il ne reste plus personne pour nous raconter l'histoire ; elle n'est que représentée. Les lettres valent ici par leur procès d'énonciation et non par leur référence. C'est exactement à ce moment que Mme de Volanges reprend à son compte le fil de la narration. Après la première lettre narrative de Mme de Volanges à Mme de Rosemonde, il n'y a plus une seule lettre de confidence entre Valmont et Merteuil : le récit n'a besoin que d'un narrateur. Ce changement de narrateur est justifié par les rebondissements de l'intrigue : la suspension des confidences entre Valmont et Merteuil constitue la phase décisive du développement de leurs relations ; cette phase décisive s'ouvre sur le sacrifice que Valmont fait de Tourvel pour obtenir la grâce de la Marquise ; or c'est précisément les malheurs de Mme de Tourvel qui poussent Mme de Volanges à écrire à Mme de Rosemonde. Cette succession bien concertée est une preuve supplémentaire de l'existence réelle de la couche narrative dans le récit.

L'art particulier de Laclos consiste dans l'habilité avec laquelle il utilise le même procédé (le récit par lettres) pour répondre à deux besoins opposés. Et le narrateur, et les personnages acquièrent leur réalité à l'aide des lettres. Ainsi celles-ci se trouvent parfaitement intégrées dans le roman et justifient pleinement leur présence. L'image du Rédacteur et le commentaire qu'il fait des lettres représentent, en quelque sorte, le symbole de l'ambiguïté du procédé. En effet, c'est lui qui représente « officiellement » l'auteur dans le livre, c'est à lui qu'on doit, en apparence, la disposition particulière des lettres. En même temps, dans la mesure même où il existe explicitement, il cesse d'être l'auteur objectif pour se transformer en un personnage tout aussi subjectif que les autres. Ses remarques ne sont pas celles de l'auteur impartial, mais celles d'un personnage concerné par l'histoire. Ainsi dans les notes où il nous fait remarquer les mensonges des personnages, il joue les deux rôles à la fois : celui de l'auteur qui observe objectivement les lettres, et celui d'un lecteur, tout proche des personnages, qui s'étonne ou s'indigne avec nous de leurs actes. Sa préface a, d'ailleurs, explicitement, la même fonction que celle, implicite, des mentions de lettres : il essaie de nous persuader de l'existence véritable de ces lettres. Ainsi tous ces détails qui peuvent paraître à première vue des procédés artificiels trahissant un auteur maladroit sont au contraire intégrés au plus profond de la construction romanesque.

2. *LA LETTRE COMME ÉLÉMENT DE L'INTRIGUE.*

Les mentions des lettres dans les lettres ont, avant tout, un but subordonné au dessein « réaliste » de l'œuvre : elles servent à prouver que ce sont là de « véritables » lettres et non des lettres imaginaires. Cependant une lecture attentive de ces passages montre que, si cette remarque est juste pour la plupart d'entre eux, le lecteur en perçoit néanmoins certains d'une façon différente bien que le sens indiqué subsiste. Prenons par exemple la lettre 61. Dans cette lettre, Cécile raconte à son amie Sophie que sa mère a découvert les lettres de Danceny dans son sécrétaire ; puis elle énumère les conséquences de cet événement. Tout semble être comme ailleurs : on discute du procès d'énonciation de la lettre (le fait que les lettres écrites par Danceny existent) ; la connotation présente nous est bien connue : c'est l'intimité, avec cette nuance particulière aux jeunes filles : valeur morale négative donnée à un tel acte. Ces aspects de la lettre se retrouvent souvent ; néanmoins nous ressentons clairement qu'il s'agit ici de quelque chose de différent, cet acte a un sens supplémentaire. La réponse la plus simple à donner sur l'origine de ce sens serait : cet événement fait partie de l'intrigue.

En effet, les lettres interviennent à des moments bien précis dans l'intrigue. On peut les indiquer intuitivement. Dans la première partie du roman, cette intervention se produit trois fois : au cours du premier rapprochement entre Danceny et Cécile ; dans la façon dont Valmont fait la cour à Tourvel (en l'obligeant à accepter ses lettres) ; lorsque Valmont réussit à apprendre quels sont ses adversaires auprès de Tourvel. Dans la deuxième partie du roman, mis à part le rebondissement de l'intrigue autour de Cécile, indiqué plus haut, il y a aussi le fait que Tourvel trahit son amour croissant en écrivant des lettres. Dans la partie suivante, les interventions importantes sont la façon dont Valmont s'introduit la nuit chez Cécile, ainsi que le moyen qu'il trouve pour entrer en contact avec Tourvel (sous prétexte de lui rendre ses lettres). Et ainsi de suite. Qu'ont en commun tous ces cas ? En d'autres mots, en quoi consiste l'intrigue ? Comment décide-t-on que telle action, tel événement appartient ou non à l'intrigue ?

notre programme éditorial.

En remerciement de votre collaboration, nous vous offrirons en **cadeau** une magnifique reproduction en couleurs tirée de la collection "Animaux" du Muséum national d'histoire naturelle.

1/ Quels sont les sujets qui ont votre préférence?

- Histoire	☐	N	- Jeux éducatifs	☐	G
- Actualité	☐	Q	- Animaux	☐	M
- Littérature	☐	C	- Cuisine	☐	B
- Arts	☐	D	- Livres d'enfants	☐	R
- Nature	☐	L	- Sciences	☐	S
- Photographie	☐	E	- Techniques	☐	T
- Cinéma	☐	F	- Musique	☐	U

2/ Désirez-vous recevoir gracieusement notre dernier catalogue?

Oui ☐ 1 Non ☐ 2

3/ Avez-vous des amis qui souhaiteraient être informés de nos parutions?

M./Mme/Mlle ....

....

M./Mme/Mlle ....

....

4/ Titre du livre dans lequel vous avez trouvé cette carte?

....

M./Mme/Mlle ....
Prénom ....
Adresse ....
....
Code Postal ....
Ville ....
Tél. (facultatif) ....
Age....... Nombre d'enfants.......
Profession du chef de famille ....

Agriculteur	22	☐	Cadre moyen	04	☐
Patron industrie et commerce	05	☐	Employé	03	☐
			Ouvrier	02	☐
Profession libérale et cadre sup.	06	☐	Retraité	21	☐
			Étudiant	01	☐
			...	97	☐
Enseignant	07	☐	Autre	99	☐

Merci de vos réponses qui sont facultatives.

X-59027

Cochez la case en face de la réponse choisie.

[illegible]/CARTE REPONSE

Affranchir
ici
S.V.P.

LAROUSSE
17 RUE DU MONTPARNASSE
75298 PARIS CEDEX 06

On pourrait croire, à première vue, que cet événement doit revêtir une importance particulière pour s'y intégrer. Pourtant cette importance ne réside pas dans la « substance » d'un événement ; elle est purement relationnelle. Chaque lettre (ou chaque scène d'un roman quelconque) décrit un nombre élevé d'actions. Pour les personnages du roman, toutes ces actions se situent à un même niveau ; ou, si elles diffèrent, c'est par l'importance qu'elles prennent dans leur vie. Seules quelques-unes s'intègrent à ce que nous appelons l'intrigue : et ce ne sont pas nécessairement celles qui paraissent importantes aux personnages. L'intrigue n'est donc pas une catégorie intérieure à l'univers représenté, elle n'est pas perçue par les personnages qui perçoivent, eux, une masse de faits de la vie. L'intrigue est, en revanche, perçue par le lecteur car celui-ci se rend compte que certains des événements décrits importent pour la comprendre alors que d'autres n'ont que des fonctions secondaires (par rapport à l'histoire), qu'elles servent plutôt à caractériser tel personnage, décrire telle situation. L'intrigue n'existe que dans notre perception de l'univers représenté. Si un personnage arrive, à un moment de l'action, à percevoir l'intrigue, c'est qu'à ce moment il s'identifie à un lecteur, il regarde cette histoire de l'extérieur, non plus participant, mais témoin. Ainsi la notion d'intrigue caractérise la façon dont on perçoit l'événement, et non l'événement lui-même. La vie n'a pas d'intrigue, c'est nous qui devons lui en prêter une.

Dans ce cas, comment décide-t-on si une action appartient ou non à l'intrigue ? Le seul moyen dont on dispose est de comparer la scène dont elle fait partie avec les scènes précédentes et suivantes ; on y découvrira des éléments auxquels elle fait suite ou que, au contraire, elle annonce. On ne peut donc parler d'intrigue que dans le cas d'une succession de scènes, et non à propos d'une seule. Elle n'existe qu'à l'intérieur d'une grande unité du récit. Chaque partie de l'intrigue se définit d'une façon purement relationnelle ; le trait exigé est l'existence de rapports avec d'autres événements relatés ; ces rapports se réduisent, la plupart du temps, à celui de cause à effet. Le contenu n'importe nullement : des événements identiques peuvent, selon le cas, faire ou ne pas faire partie de l'intrigue.

L'intrigue est donc la somme de ses parties, mais les parties ne se définissent que par la décomposition de l'intrigue. La circularité du raisonnement est évidente, mais elle n'est pas vicieuse pour autant. L'intrigue et ses parties se définissent mutuellement et on ne voit l'un qu'à travers l'autre ; c'est une « forme » qui ne peut exister hors de ce mode de perception. Cette ressemblance avec une forme, telle que la décrit la psychologie, va dans plusieurs directions : d'une part, c'est à partir de l'entité organisée qu'on arrive à identifier ses éléments ; d'autre part, cette entité elle-même est saisie sur le fond d'une masse amorphe de faits, constituée par tous les événements rapportés dans le récit. La ressemblance avec une mélodie, par exemple, est frappante.

La distinction entre les actions qui font partie de l'intrigue et celles qui n'en font pas partie recoupe une autre distinction, celle des associations individuelles et des connotations. Ces associations ne naissent, on le voit maintenant, que des interventions particulières des lettres dans l'intrigue. Là où les lettres ne jouent aucun rôle dans l'histoire, elles ne peuvent pas devenir source d'un sens supplémentaire. Si à la fin du roman la réception d'une lettre devient un acte quasi meurtrier pour Tourvel, c'est que les lettres sont intervenues directement dans l'intrigue : Valmont lui déclare sa décision de la quitter par une lettre.

2. L'HISTOIRE DU ROMAN ET L'HISTOIRE DANS LE ROMAN.

Les lettres des *Liaisons Dangereuses*, c'est le roman lui-même. Celui-ci n'existe pas hors des lettres. Mais ces lettres ne racontent pas seule l'histoire qui est dans le roman ; elles racontent aussi l'histoire du roman lui-même. Et c'est là leur dernier rôle, leur sens ultime.

Ce phénomène particulier — et symbolique — prend corps de deux façons différentes. La première est assez simple. Dans la dernière partie du roman, une Note du Rédacteur nous avertit explicitement comment et pourquoi ces lettres sont publiées. L'histoire de cette publication commence au moment du dénouement. Lorsque Valmont tombe mortellement blessé au cours de son duel avec Danceny, il donne à ce dernier un volumineux paquet de lettres : les lettres qu'il a reçues de la Marquise. Danceny doit venger Valmont (et se venger lui-même) en ... publiant ces lettres, c'est-à-dire ce livre. Cette publication est au début partielle, les lettres ne font que circuler dans la société parisienne ; mais à ce moment, Mme de Rosemonde prend l'affaire de la publication en main. Elle récupère les lettres de la Marquise, celles de Tourvel que lui adresse Mme de Volanges ; elle demande à Danceny sa correspondance avec Cécile et ce dernier l'envoie immédiatement. Ainsi se constitue le recueil que nous lisons, sous le titre des *Liaisons Dangereuses*. On peut dire que cette publication, plus large, continue la punition de Merteuil en faisant connaître toutes ses qualités morales blâmables ; elle s'ajoute donc aux autres coups que le destin lui porte.

L'acte d'écrire reçoit ici, par un retour inattendu, un sens nouveau. On se souvient qu'écrire une lettre est, pour les personnages, un signe d'intimité ; mais l'acte d'« écrire un livre et le publier » a aussi une connotation et elle est exactement l'inverse de celle des lettres : elle équivaut à une action d'hostilité qu'on peut appeler, comme on le verra plus tard, « afficher », « rendre public ». Ainsi Laclos fait preuve d'une conscience littéraire particulièrement aiguë : il intègre la signification de l'existence globale du livre au réseau d'axes significatifs, sous-jacent à l'histoire racontée dans *Les Liaisons Dangereuses*. L'image du narrateur s'accorde parfaitement avec la structure significative du livre. Comme l'existence du livre équivaut à condamner son univers, même ses personnages secondaires en souffrent ; en effet, le lecteur n'éprouve pas une sympathie sans réserve pour ces personnages « faibles ».

La mort de Valmont a deux conséquences : l'une, c'est le chagrin de Rosemonde, le bouleversement de la vie de Danceny et Cécile, etc..; l'autre, c'est l'existence du roman *Les Liaisons Dangereuses*. Un nouvel emboîtement des messages se manifeste à un niveau plus élevé. Il consiste, plus précisément, dans ce que l'histoire du roman, l'histoire de sa création se trouve intégrée dans le récit romanesque. Et le moment crucial de l'intrigue, le dénouement, prend une importance particulière dans l'enchevêtrement des deux histoires, celle du roman et celle dans le roman : c'est ce moment qui permet le dédoublement de l'intrigue et l'apparition de l'histoire de la création, où tout le récit, telle image en abyme, se retrouve comme se propre partie constitutive.

La seconde façon dont le récit se dédouble est plus particulière et moins apparente. Présente tout au long du roman, elle consiste dans le fait que Valmont et Merteuil, les « roués », se font des confidences, s'écrivent des lettres. Ce fait détermine, d'une façon plus profonde encore, l'existence du roman et explique sa création. D'une part, le fait qu'ils écrivent des lettres est nécessaire pour que ces lettres, et, en conséquence, le roman, existent. D'autre part, et ceci est plus important, pour que le roman puisse exister, il était nécessaire que, dans l'histoire représentée, les roués soient démasqués. Or la seule façon dont ils peuvent être démasqués est de tirer parti de cette faiblesse ultime : avoir écrit des lettres. En effet, ce besoin de confidence se révèle comme la seule faiblesse des deux « roués ». Le roman se termine par une sorte de double suicide, chacun d'eux rendant publiques les lettres de son adversaire et causant ainsi sa ruine, morale ou physique. Le roué parfait n'aurait pas dû avoir de confidents ; il n'aurait pas dû s'exposer à la merci d'un autre, serait-ce un roué tout aussi fort que lui. L'imperfection de ces personnages forts consiste, littéralement, à avoir rendu possible la création du roman. Personne n'aurait pu combattre le mal parfait ; un Valmont n'écrivant pas de lettres n'aurait pas pu être démasqué.

La victoire de l'auteur, sous-entendue par le livre, est d'avoir pu écrire ce livre ; l'existence du livre prouve qu'il a vaincu ce qu'il combattait.

Le procès d'énonciation du roman entier se trouve chargé ici d'un autre sens. Outre sa signification négative de condamnation, il a un sens positif : il désigne le triomphe de l'auteur, sa victoire sur les personnages. Grâce à ces apparitions de l'histoire du roman, l'image du narrateur devient de plus en plus claire ; c'est ici qu'elle prend sa forme définitive et s'intègre définitivement dans la structure de significations, formée par l'œuvre.

L'histoire sous-jacente au roman est précisément celle de sa création ; cette histoire est racontée à travers l'autre ; et c'est en en tenant compte qu'on peut comprendre pleinement la position de l'auteur. Cette relation entre l'histoire du roman et l'histoire dans le roman se révèle comme inverse et complémentaire de la première dont on a parlé : cette fois-ci, c'est l'histoire dans le roman, l'intrigue, qui se trouve intégrée à l'histoire de sa création, histoire qui, dans cette perspective, prend la première place.

Laclos symbolise ainsi une qualité profonde de la littérature : le sens dernier des *Liaisons Dangereuses* est un propos sur la littérature. Toute œuvre, tout roman raconte, à travers la trame événementielle, l'histoire de sa propre création, sa propre histoire. Des œuvres comme celles de Laclos ou de Proust ne font que rendre explicite une vérité sous-jacente à toute création littéraire. Ainsi apparaît la vanité des recherches du sens dernier de tel roman, de tel drame ; le sens d'une œuvre consiste à se dire, à nous parler de sa propre existence. Ainsi le roman tend à nous amener à lui-même ; et nous pouvons dire qu'il commence en fait là où il se termine ; car l'existence même du roman est le dernier chaînon de son intrigue, et là où finit l'histoire racontée, l'histoire de la vie, là exactement commence l'histoire racontante, l'histoire littéraire.

II

ANALYSE DU RÉCIT

Parti de toutes les mentions des lettres dispersées dans le roman *Les Liaisons Dangereuses,* nous en avons recherché l'articulation logique ; ainsi la signification d'un énoncé est apparue comme articulée sur trois plans : celui de son aspect référentiel, ce que le message évoque ; celui de son aspect littéral, ce que le message est en lui-même ; et celui de son procès d'énonciation, son côté événementiel.

Dans le découpage établi au chapitre suivant, la même distribution s'est fait jour. En considérant la lettre comme un procédé, on met en cause le sujet de l'énonciation, et donc le procès entier d'énonciation. En la considérant comme une partie de l'intrigue, on évoque son aspect littéral. Quant aux cas où les lettres traitent de la création même du roman, il s'agit évidemment de l'aspect référentiel : c'est un thème particulier, thème que nous croyons d'ailleurs propre à toute littérature.

Cette articulation de la signification d'un énoncé n'est pas originale ; il est facile de voir, en particulier, que l'opposition entre l'aspect référentiel et l'aspect littéral d'un énoncé correspond à celle de Frege entre *Bedeutung* und *Sinn.* Sans rappeler la façon dont Frege caractérise ces notions, on peut citer, pour illustrer le degré de coïncidence de ces concepts, les phrases suivantes (en traduisant *Bedeutung* par « signification » et *Sinn* par « sens ») : « Lorsque les mots sont employés de la façon ordinaire, ce dont on parle est leur signification. Mais il peut aussi arriver qu'on parle des mots eux-mêmes ou de leur sens » (G. Frege, *Funktion, Begriff, Bedeutung.* Göttingen, Vandenhoeck, 1962, p. 43). Les termes « aspect référentiel » et « littéral » étaient préférés pour les raisons suivantes : les mots sens et signification (ou référence) font partie de l'usage courant et il est par là même difficile de les employer uniquement de la façon indiquée ici ; d'autant plus que d'autres spécialistes les emploient dans un sens différent. D'autre part, on aurait tendance à identifier « référence » avec « référent », c'est-à-dire avec le monde extérieur au discours, alors que la référence est une propriété purement linguistique. De même, on risque de confondre « sens » avec la fonction communicative du discours ; or il s'agit des « mots eux-mêmes », dans le premier cas, et de la mort de ces mots-là, dans le second : pour qu'il y ait communication, les mots disparaissent et il ne reste que le sens transverbal de la phrase.

Cette étude « en profondeur », cette énumération des strates significatives d'une œuvre doit maintenant être complétée par une étude « en étendue » : il faut, en prenant une seule de ces strates, étudier tous ses éléments, et décrire sa structure. On se limitera pour cela à l'aspect proprement littéraire de l'œuvre, qui était déjà l'objet des chapitres précédents. Mais, au lieu de se limiter au procédé « lettre », on s'interrogera sur la variété de procédés, attestés dans le roman à ce niveau. Au lieu de ne considérer que les parties de l'intrigue qui se caractérisent par l'intervention d'une lettre, on peut envisager le problème de l'intrigue dans son ensemble. Et, non contents de réduire la référence au seul fait de l'apparition du livre, nous pouvons tenter d'en donner une description exhaustive. Autrement dit, la tâche des chapitres à suivre sera de discuter les conditions d'une analyse du récit.

Ce terme de récit sera employé ici dans un sens très général, couvrant aussi bien les trois aspects indiqués de l'énoncé romanesque. Seuls les moyens linguistiques par lesquels se réalisent tel procédé ou telle figure du récit en seront exclus ; le sens de ce mot se confond, en partie au moins, avec celui de « fiction ».

I. L'ORGANISATION DE L'UNIVERS REPRÉSENTÉ.

Deux niveaux peuvent être distingués ici (en accord, d'ailleurs, avec la tradition).

1. *LOGIQUE DES ACTIONS.*

On tentera d'abord une description des actions indépendamment des autres éléments du récit.

Il existe déjà une tentative de décrire la logique des actions : c'est l'étude du conte populaire et du mythe. La pertinence de ces analyses pour l'étude du récit littéraire est certainement plus grande qu'on ne le pense d'habitude.

L'étude structurale du folklore est assez récente, et on ne peut pas dire qu'à l'heure actuelle un accord se soit fait sur la façon dont il faut analyser un récit. Des recherches ultérieures prouveront la plus ou moins grande valeur des modèles actuels. On se bornera ici, en guise d'illustration, à appliquer deux modèles différents à l'histoire centrale des *Liaisons Dangereuses*, pour discuter des possibilités de la méthode.

La première méthode est une simplification de la conception de Cl. Bremond (« Le message narratif », *Communications*, 4, 1964). Le récit entier est constitué par l'enchaînement ou l'emboîtement de micro-récits. Chacun de ces micro-récits est composé de trois (ou parfois de deux) éléments dont la présence est obligatoire. Ainsi tous les récits du monde seraient constitués par les différentes combinaisons d'une dizaine de micro-récits à structure stable, qui correspondraient à un petit nombre de situations essentielles dans la vie ; on pourrait les désigner par des mots comme « tromperie », « contrat », « protection », etc.

Ainsi l'histoire des rapports entre Valmont et Tourvel peut être présentée comme suit :

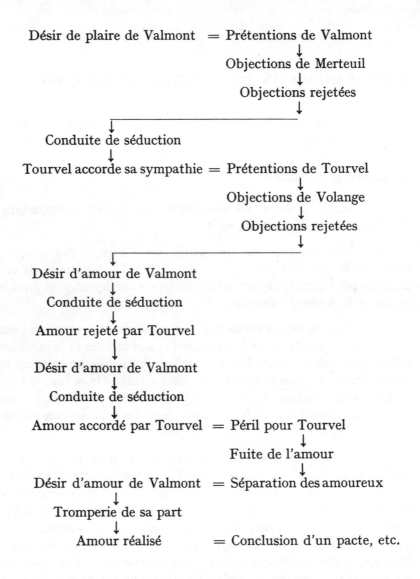

Désir de plaire de Valmont = Prétentions de Valmont

↓

Objections de Merteuil

↓

Objections rejetées

↓

Conduite de séduction

↓

Tourvel accorde sa sympathie = Prétentions de Tourvel

↓

Objections de Volange

↓

Objections rejetées

↓

Désir d'amour de Valmont

↓

Conduite de séduction

↓

Amour rejeté par Tourvel

↓

Désir d'amour de Valmont

↓

Conduite de séduction

↓

Amour accordé par Tourvel = Péril pour Tourvel

↓

Fuite de l'amour

↓

Désir d'amour de Valmont = Séparation des amoureux

↓

Tromperie de sa part

↓

Amour réalisé = Conclusion d'un pacte, etc.

Les actions qui composent chaque triade sont relativement homogènes et se laissent facilement isoler. On remarque trois types de triades : le premier concerne la tentative (manquée ou réussie) de réaliser un projet (les triades de gauche), le second, une « prétention », le troisième, un péril.

Le modèle homologique est également utilisé dans l'analyse du folklore et, plus particulièrement, l'analyse des mythes. Il serait injuste d'attribuer ce modèle à Cl. Lévi-Strauss, car pour en avoir donné une première image, cet auteur ne peut pas être tenu responsable de la formule simplifiée que nous présentons ici. D'après celle-ci, on suppose que le récit représente la projection syntagmatique d'un réseau de rapports paradigmatiques. On découvre donc dans l'ensemble du récit une dépendance entre certains éléments, et on cherche à la retrouver dans la succession temporelle (syntagmatique). Cette dépendance est, dans la plupart des cas, une « homologie », c'est-à-dire une relation proportionnelle à quatre termes (A : B : : a : b). On peut aussi suivre l'ordre inverse : essayer de disposer de différentes manières les événements qui se succèdent, pour découvrir, à partir des relations qui s'établissent, la structure de l'univers représenté. C'est la manière dont on procédera ici et, faute d'un principe déjà établi, on se contentera d'une succession directe et simple.

Les propositions inscrites dans le tableau qui suit résument le même fil de l'intrigue, les relations Valmont-Tourvel, jusqu'à la chute de Tourvel. Pour suivre ce fil, il faut lire les lignes horizontales qui représentent l'aspect syntagmatique du récit. Ensuite comparer les propositions placées l'une au-dessous de l'autre

Valmont désire plaire	Tourvel se laisse admirer	Merteuil essaye de faire obstacle au premier désir	Valmont rejette les conseils de Merteuil
Valmont cherche à séduire	Tourvel lui accorde sa sympathie	Volanges essaye de faire obstacle à la sympathie	Tourvel rejette les conseils de Volanges
Valmont déclare son amour	Tourvel résiste	Valmont la poursuit obstinément	Tourvel rejette l'amour
Valmont cherche de nouveau à séduire	Tourvel lui accorde son amour	Tourvel s'enfuit devant l'amour	Valmont rejette en apparence l'amour
L'amour est réalisé			

(dans une même colonne, présumée paradigme) et chercher leur dénominateur commun.

Cherchons à présent le dénominateur commun de chaque colonne. Toutes les propositions de la première concernent l'attitude de Valmont envers Tourvel. Inversement, la seconde colonne concerne exclusivement Tourvel et caractérise son comportement devant Valmont. La troisième colonne n'a pas pour dénominateur commun un même sujet, mais toutes les propositions y décrivent des actes, au sens fort du mot. Enfin, la quatrième possède un prédicat commun, c'est le rejet, le refus (dans la dernière ligne, c'est un rejet feint). Les deux membres de chaque paire se trouvent dans une relation quasi antithétique, et nous pouvons dresser la proportion :

Valmont : *Tourvel* : : *les actes* : *le rejet des actes*

Cette présentation paraît d'autant plus justifiée qu'elle indique correctement le type des rapports entre Valmont et Tourvel, la seule action brusque de Tourvel, etc.

Ces analyses suggèrent plusieurs remarques :

1. Il semble évident que, dans un récit, la succession des actions n'est pas arbitraire, mais obéit à une certaine logique. L'apparition d'un projet provoque l'apparition d'un obstacle, le péril provoque une résistance ou une fuite, etc. Il est très possible que ces schémas de base soient en nombre limité et qu'on puisse représenter l'intrigue de tout récit comme étant le produit de leurs combinaisons. Il n'est pas sûr que l'un des découpages soit préférable à l'autre et, à partir d'un seul exemple, on ne peut pas tenter de le décider. Les recherches menées par les spécialistes du folklore montreront quel est le plus approprié à l'analyse des formes simples du récit.

La connaissance de ces techniques et des résultats obtenus grâce à elles est nécessaire pour la compréhension de l'œuvre. Savoir que telle succession d'actions relève de cette logique permet de ne pas lui chercher une autre justification dans l'œuvre. Même si un auteur n'obéit pas à cette logique, on doit la connaître : sa désobéissance prend tout son sens précisément par rapport à la norme que cette logique impose.

2. Le fait que le découpage d'un même récit diffère selon le modèle choisi, est quelque peu inquiétant. Il se révèle d'une part, que ce récit peut avoir plusieurs structures ; et les techniques en question n'offrent aucun critère pour en choisir une. D'autre part, certaines parties du récit sont présentées, dans les deux modèles, par des propositions différentes ; pourtant chacun d'entre eux tendait vers une fidélité à l'histoire. Cette malléabilité de l'histoire signale un danger : si l'histoire reste la même, quand bien même nous modifions certaines de ses parties c'est que celles-ci ne sont pas telles. Le fait qu'au même endroit dans la chaîne apparaissent « prétentions de Valmont » ou « Tourvel se laisse admirer », signale une marge dangereuse d'arbitraire et montre qu'on ne peut être sûr de la valeur des résultats obtenus.

3. Un défaut de la démonstration tient à la qualité de l'exemple choisi. Une telle étude des actions les pose comme un élément indépendant de l'œuvre, hors de toute relation avec les personnages. Or *Les Liaisons Dangereuses* relèvent d'un type de récit qu'on pourrait appeler « psychologique » et qui lie étroitement ces deux éléments. Ce ne serait pas le cas du conte populaire ni même des nouvelles de Boccace où le personnage n'est, la plupart du temps, qu'un nom qui permet de relier les différentes actions. Là se trouve le champ d'application par excellence des méthodes destinées à l'étude de la logique des actions.

2. *LES PERSONNAGES ET LEURS RAPPORTS.*

« Le héros n'est guère nécessaire à l'histoire. L'histoire comme système de motifs peut entièrement se passer du héros et de ses traits caractéristiques », écrit Tomachevski (*Théorie de la Littérature*, Paris, Seuil, 1965, p. 296). Cette affirmation concerne plutôt les histoires anecdotiques ou tout au plus les nouvelles de la Renaissance, que la littérature occidentale classique, de *Don Quichotte* à *Ulysse*. Dans cette littérature, le personnage joue un rôle de premier ordre et c'est à partir de lui que s'organisent les autres éléments du récit. Toutefois, certaines tendances de la littérature moderne donnent à nouveau au personnage un rôle secondaire.

L'étude du personnage pose des problèmes multiples qui sont encore loin d'être résolus. On n'en considérera ici qu'un seul type ; celui qui est caractérisé exhaustivement par ses rapports avec les autres personnages. C'est le cas d'un certain type de littérature et notamment du drame. C'est du drame que E. Souriau (*Les deux cent mille situations dramatiques*. Paris, Flammarion, 1950) a tiré un premier modèle des rapports entre personnages ; nous l'utiliserons dans la forme que lui a donnée A. J. Greimas (*Sémantique structurale*. Paris, Larousse, 1966). *Les Liaisons Dangereuses*, roman par lettres, se rapprochent à plusieurs points de vue du drame et ce modèle reste valable pour elles.

A première vue, ces rapports peuvent paraître trop divers, à cause du grand nombre de personnages ; mais on s'aperçoit vite qu'il est facile de les réduire à trois seulement : désirer, communiquer et participer.

Commençons par le *désir* qui est attesté chez presque tous les personnages. Dans sa forme la plus répandue que l'on pourrait désigner comme « aimer », on le trouve chez Valmont (envers Tourvel, Cécile, Merteuil, la Vicomtesse, Emilie), chez Merteuil (pour Belleroche, Prévan, Danceny), chez Tourvel, Cécile et Danceny. Le second axe, moins évident, mais tout aussi important est celui de la *communication*, et il se réalise dans la « confidence ». La présence de ce rapport justifie les lettres franches, ouvertes, riches en information, comme il sied entre confidents. Ainsi dans la majeure partie du livre, Valmont et Merteuil ont un rapport de confidence. Tourvel a comme confidente Mme de Rosemonde ; Cécile, d'abord Sophie, ensuite Merteuil. Danceny se confie à Merteuil et à Valmont, Volanges à Merteuil, etc. Un troisième type de rapport est ce qu'on peut appeler la *participation*, qui se réalise par l'action d'« aider ». Par exemple, Valmont aide Merteuil à réaliser ses projets ; Merteuil aide d'abord le couple Cécile-Danceny, plus tard Valmont dans sa liaison avec Cécile. Danceny l'aide aussi dans le même sens bien qu'involontairement. Ce troisième rapport est présent beaucoup moins souvent et il apparaît comme un axe subordonné à celui du désir.

Ces trois rapports sont d'une grande généralité, puisqu'ils sont déjà présents dans la formulation de ce modèle, telle que l'a donnée A. J. Greimas. Mais il ne faut pas réduire tous les rapports humains, dans tous les récits, à ces trois-là. Ce serait une réduction excessive qui empêcherait de caractériser un type de récit par la présence de ces trois rapports précisément. En revanche, les rapports entre personnages, dans tout récit, peuvent toujours être ramenés à quelques-uns seulement et ce réseau de rapports a un rôle fondamental pour la structure de l'œuvre. C'est en cela que se justifie notre démarche.

Voici trois prédicats qui désignent des rapports de base. Tous les autres rapports peuvent en être dérivés à l'aide de deux *règles de dérivation*. Une telle règle formalise la relation entre un prédicat de base et un prédicat dérivé. Cette façon de présenter les rapports entre prédicats est préférable à la simple énumération, parce que celle-là est logiquement plus simple et, d'autre part, elle rend correctement compte de la transformation des sentiments, qui se produit au cours du récit.

On appellera la première règle dont les produits sont plus répandus *règle d'opposition*. Chacun des trois prédicats possède un prédicat opposé (notion plus étroite que la négation). Ces prédicats opposés sont moins souvent présents que leurs corrélats positifs ; et cela est motivé naturellement par le fait que la présence d'une lettre est déjà le signe d'un rapport amical. Ainsi l'opposé de l'amour, la haine, est plutôt un prétexte, un élément préliminaire, qu'un rapport bien explicité. On peut la remarquer chez la Marquise, pour Gercourt, chez Valmont, pour Mme de Volanges, chez Danceny, pour Valmont. Il s'agit toujours d'un mobile, pas d'un acte présent.

Le rapport qui s'oppose à la confidence est plus fréquent bien qu'il reste également implicite : c'est l'action de rendre un secret public, de l'afficher. Le récit sur Prévan, par exemple, est fondé entièrement sur le droit de priorité à raconter l'événement. De même, l'intrigue générale sera résolue par un geste semblable : Valmont, puis Danceny, publieront les lettres de la Marquise, et ce sera là sa plus grave punition. En fait ce prédicat est présent plus souvent qu'on ne pense, bien qu'il reste latent : le danger de se faire connaître détermine une grande partie des actes des personnages. C'est devant ce danger par exemple, que Cécile cédera aux avances de Valmont. C'est dans ce sens aussi qu'est allée une grande partie de l'éducation de Mme de Merteuil. C'est dans ce but que Valmont et Merteuil cherchent constamment à s'emparer de lettres compromettantes de Cécile : tel est le meilleur moyen de nuire à Gercourt. Chez Mme de Tourvel, ce prédicat subit une transformation personnelle : chez elle, la peur de la parole des autres est intériorisée et se manifeste dans l'importance qu'elle accorde à sa propre conscience. Ainsi à la fin du livre, peu avant sa mort, elle regrettera non pas l'amour perdu, mais la violation des lois de sa conscience, qui équivalent, en fin de compte, à l'opinion publique, aux paroles des autres : « Enfin en me parlant de la façon cruelle dont elle avait été sacrifiée, elle ajouta : « Je me croyais bien sûre d'en mourir, et j'en avais le courage ; mais de survivre à mon malheur et à ma honte, c'est ce qui m'est impossible » (l. 149). Enfin l'acte d'aider trouve son contraire dans celui d'empêcher, de s'opposer. Ainsi Valmont fait obstacle aux liaisons de Merteuil avec Prévan et de Danceny avec Cécile, Mme de Volanges aux mêmes.

Les résultats de la deuxième dérivation des trois prédicats de base sont moins répandus ; ils correspondent au passage de la voix active à la voix passive, et nous pouvons appeler cette règle *règle de passif*. Ainsi Valmont désire Tourvel mais il est aussi désiré par elle ; il hait Volanges et est haï par Danceny ; il se confie à Merteuil et il est le confident de Danceny ; il rend publique son aventure avec la Vicomtesse, mais Volanges affiche ses propres actions ; il aide Danceny et en même temps il est aidé par ce dernier pour conquérir Cécile ; il s'oppose à certaines actions de Merteuil, et en même temps subit l'opposition de Volanges ou de Merteuil. En d'autres mots, chaque action a un sujet et un objet ; mais contrairement à la transformation linguistique actif-passif, nous ne les changerons pas ici de place : seul le verbe passe à la voix passive. Tous nos prédicats sont donc des verbes transitifs.

Ainsi douze rapports différents qui se manifestent au cours du récit, sont décrits à l'aide de trois prédicats de base et de deux règles de dérivation. Ces deux règles n'ont pas exactement la même fonction : la règle d'opposition sert à engendrer une proposition qui ne peut être exprimée autrement (p. ex. *Merteuil fait obstacle à Valmont* à partir de *Merteuil aide Valmont*) ; la règle du passif sert à montrer la parenté de deux propositions déjà existantes (p. ex. *Valmont aime Tourvel* et *Tourvel aime Valmont* : cette dernière est présentée, grâce à notre règle, comme une dérivation de la première, sous la forme *Valmont est aimé par Tourvel*).

Cette description des rapports faisait abstraction de leur incarnation dans un personnage. De ce point de vue une autre distinction apparaît dans tous les rapports énumérés. Chaque action peut d'abord paraître comme amour, confidence, etc., mais elle peut ensuite se révéler comme haine, opposition et ainsi de suite. L'apparence ne coïncide pas nécessairement avec l'essence de la relation bien qu'il s'agisse de la même personne et du même moment. On peut donc postuler l'existence de deux niveaux de rapports, celui de l'être et celui du paraître. Ces termes concernent la perception des personnages et non celle du lecteur. L'existence de ces deux niveaux est consciente chez Merteuil et Valmont et ils utilisent l'hypocrisie pour arriver à leurs fins. Merteuil est apparemment la confidente de Mme de Volanges et de Cécile, mais en fait elle les utilise dans son plan de vengeance. Valmont agit de même avec Danceny. Les autres personnages présentent cette même duplicité ; elle s'explique cette fois non par l'hypocrisie, mais par la mauvaise foi ou la naïveté. Ainsi Tourvel éprouve de l'amour pour Valmont mais elle n'ose pas se l'avouer à elle-même et le dissimule derrière l'apparence de la confidence. De même Cécile, de même Danceny (dans ses rapports avec Merteuil). Il faut postuler l'existence d'un nouveau prédicat qui n'apparaîtra que dans ce groupe des victimes, situé à un niveau secondaire par rapport aux autres : c'est celui de *prendre conscience*, de *s'apercevoir*. Il désignera ce qui se produit lorsqu'un personnage se rend compte que le rapport qu'il a avec un autre personnage n'est pas celui qu'il croyait avoir.

Le même nom — disons « amour » ou « confidence » — désigne des sentiments éprouvés par des personnages différents et qui ont souvent une teneur inégale. Pour retrouver les nuances on peut introduire la notion de *transformation personnelle* d'un rapport. On a déjà signalé la transformation que subit la peur d'être affichée chez Mme de Tourvel ; un autre exemple est fourni par la réalisation de l'amour chez Valmont et Merteuil. Ces personnages ont décomposé préalablement, pourrait-on dire, le sentiment d'amour, ils y ont découvert un désir de possession et en même temps une soumission à l'objet aimé ; ils n'en ont gardé que la première moitié, le désir de possession. Ce désir, une fois satisfait, est suivi par l'indifférence. Telle est la conduite de Valmont avec toutes ses maîtresses, telle est aussi celle de Merteuil.

Faisons maintenant un rapide bilan. Trois notions sont indispensables pour décrire l'univers des personnages. Il y a d'abord les *prédicats*, notion fonctionnelle, telle que « aimer, » « se confier », etc. Il y a d'autre part les personnages : Valmont, Merteuil, etc. Ceux-ci peuvent avoir deux fonctions : soit être les sujets, soit êtres les objets des actions décrites par les prédicats. On emploiera le terme générique d'*agent* pour désigner à la fois le sujet et l'objet de l'action. A l'intérieur d'une œuvre, les agents et les prédicats sont des unités stables, ce qui varie, ce sont les combinaisons de deux groupes. Enfin, la troisième notion est celle de *règles de dérivation* : celles-ci décrivent les rapports entre prédicats. Mais la description fondée sur ces notions reste purement statique ; afin de pouvoir décrire le mouvement de ces rapports et, par là, le mouvement du récit, il faut introduire une nouvelle série de règles qu'on appellera, pour les distinguer des règles de dérivation, *règles d'action*.

Ces règles auront comme données de départ les agents et les prédicats, formant déjà une certaine proposition ; elles prescriront, comme résultat final, les nouveaux rapports qui doivent s'instaurer entre les agents. Pour illustrer cette nouvelle notion, on formulera quelques-unes des règles qui régissent *Les Liaisons Dangereuses*.

Les premières règles concerneront l'axe du *désir*.

R. 1. *Soit A et B, deux agents, et que A aime B. Alors, A agit de sorte que la transformation passive de ce prédicat (c'est-à-dire la proposition « A est aimé par B ») se réalise aussi.*

La première règle vise à refléter les actions des personnages qui sont amoureux ou feignent de l'être. Ainsi Valmont, amoureux de Tourvel, fait tout pour que celle-ci l'aime à son tour. Danceny, amoureux de Cécile, procède de la même manière ; et de même Merteuil ou Cécile.

On se souvient de la distinction faite entre le sentiment apparent et le sentiment véritable éprouvé par un personnage pour un autre, entre le paraître et l'être. Elle sera nécessaire pour la règle suivante.

R. 2. *Soit A et B, deux agents, et que A aime B au niveau de l'être mais non à celui du paraître. Si A prend conscience du niveau de l'être, il agit contre cet amour.*

Un exemple de l'application de cette règle est fourni par le comportement de Mme de Tourvel, lorsqu'elle se rend compte qu'elle est amoureuse de Valmont : elle quitte brusquement le château et fait, elle-même, obstacle à la réalisation de ce sentiment. Il en est de même pour Danceny lorsqu'il croit n'être qu'en rapport de confidence avec Merteuil : en lui montrant que c'est un amour identique à celui qu'il éprouve pour Cécile, Valmont le pousse à renoncer à cette nouvelle liaison. La « révélation » présumée par cette règle est le privilège d'un groupe de personnages qu'on peut appeler les « faibles ». Valmont et Merteuil qui n'en font pas partie n'ont pas la possibilité de « prendre conscience ».

Passons maintenant aux rapports de *participation*.

R. 3. Soit A, B et C, trois agents, et que A et B aient un rapport avec C. Si A prend conscience que le rapport B-C est identique au rapport A-C, il agira contre B.

Cette règle ne reflète pas une action qui « va de soi » : A aurait pu agir contre C. En voici quelques illustrations. Danceny aime Cécile et croit Valmont son confident ; dès qu'il apprend qu'en fait il s'agit d'amour, il agit contre Valmont, il le provoque en duel. De même Valmont croit être le confident de Merteuil et il ne pense pas que Danceny puisse avoir le même rapport ; dès qu'il l'apprend, il agit contre celui-ci (à l'aide de Cécile). Merteuil qui connaît cette règle s'en sert pour agir sur Valmont : c'est dans ce but qu'elle écrit une lettre pour lui montrer que Belleroche s'est emparé de certains biens dont Valmont se croyait le seul détenteur. La réaction est immédiate.

Plusieurs actions d'opposition ou d'aide ne s'expliquent pas par cette règle. Mais à les regarder de près, on s'aperçoit qu'elles sont chaque fois la conséquence d'une autre action qui, elle, relève du premier groupe de rapports, centrés autour du désir. Si Merteuil aide Danceny à conquérir Cécile, c'est parce qu'elle hait Gercourt et c'est là pour elle un moyen de se venger ; pour les mêmes raisons, elle aide Valmont dans ses démarches auprès de Cécile. Si Valmont empêche Danceny de faire la cour à Mme de Merteuil, c'est parce que c'est lui, Valmont, qui la désire. Enfin si Danceny aide Valmont à se lier avec Cécile, c'est parce qu'il croit ainsi se rapprocher lui-même de Cécile dont il est amoureux. Et ainsi de suite. On s'aperçoit également que ces actions de participation sont conscientes chez les personnages « forts » (Valmont et Merteuil), alors qu'elles restent inconscientes (et involontaires) chez les « faibles ».

Le dernier groupe de rapports sont ceux de la *communication.* Voici la quatrième règle.

R. 4. Soit A et B, deux agents, et que B soit le confident de A. Si A devient l'agent d'une proposition engendrée par R. 1, il change de confident (l'absence de confident est considérée comme un cas-limite de la confidence).

Pour illustrer R. 4, rappelons que Cécile change de confidente (Mme de Merteuil au lieu de Sophie) dès que sa liaison avec Valmont commence ; de même Tourvel, tombée amoureuse de Valmont, prend Mme de Rosemonde pour confidente ; pour la même raison, à un degré plus faible, elle avait cessé de faire ses confidences à Mme de Volanges. Son amour pour Cécile amène Danceny à se confier à Valmont ; sa liaison avec Merteuil interrompt cette confidence. Cette règle impose des restrictions encore plus fortes à Valmont et Merteuil car ces deux personnages ne peuvent se confier que l'un à l'autre. Par conséquent, tout changement de confident signifie l'arrêt de toute confidence. Ainsi Merteuil cesse de se confier à partir du moment où Valmont devient trop insistant dans son désir d'amour. De même Valmont, à partir du moment où Merteuil laisse voir ses propres désirs, différents des siens. Le sentiment qui anime Merteuil dans la dernière partie est bien le désir de possession.

Quelques remarques s'imposent à partir de ces règles.

1. Tout d'abord la portée de ces *règles d'action*. Elles reflètent les lois qui gouvernent la vie d'une société, celle des personnages de notre roman. Le fait qu'il s'agit ici de personnes imaginaires et non réelles n'apparaît pas dans la formulation : à l'aide de règles semblables, on pourrait décrire les habitudes et les lois implicites de n'importe quel groupe homogène de personnes. Les personnages eux-mêmes peuvent avoir conscience de ces règles. Dans leur contenu, ces règles ne diffèrent pas sensiblement des remarques qui ont été faites sur *Les Liaisons*. Ceci amène à aborder le problème de la valeur explicative de cette présentation ; il est évident qu'une description qui ne peut en même temps nous fournir d'ouverture sur les interprétations intuitives que les lecteurs donnent au récit, manque son but. Il suffit de traduire ces règles dans un langage commun pour voir leur proximité avec les jugements qui ont souvent été portés sur l'éthique des *Liaisons Dangereuses*. Par exemple, la première règle qui représente le désir d'imposer sa volonté sur celle de l'autre a été relevée par la quasi-totalité des critiques qui l'ont interprétée comme une « volonté de puissance », ou « mythologie de l'intelligence ». De plus, le fait que les termes utilisés dans ces règles

sont liés précisément à une éthique, est significatif : on pourrait facilement imaginer un récit où ces termes seraient d'ordre social, ou formel, etc.

2. La forme donnée à ces règles appelle une explication particulière. On pourrait facilement reprocher la formulation pseudo savante donnée à des banalités : pourquoi dire « A agit de sorte que la transformation passive de ce prédicat se réalise aussi » au lieu de « Valmont impose sa volonté à Tourvel » ? L'histoire de la critique littéraire fourmille d'exemples d'affirmations souvent tentantes mais qui, à cause d'une imprécision terminologique, ont conduit à des impasses. La forme de « règles » données aux conclusions, permet de les tester en « engendrant » successivement les péripéties du récit. D'autre part, seule une précision poussée des formulations pourra permettre la comparaison valable des lois qui régissent l'univers de différents livres. Prenons un exemple : dans ses recherches sur le récit, Chklovski (*Théorie de la littérature*, p. 171) a formulé la règle qui, à son avis, permettra de rendre compte du mouvement des relations humaines chez Boiardo (*Roland amoureux*) ou chez Pouchkine (*Eugène Onéguine*) : « Si A aime B, B n'aime pas A. Quand B commence à aimer A, A n'aime plus B ». Le fait que cette règle ait une formulation semblable à celle des règles proposées ici permet une confrontation immédiate de l'univers de ces œuvres.

3. Pour vérifier les règles ainsi formulées, on doit se poser deux questions : toutes les actions dans le roman peuvent-elles être engendrées à l'aide de ces règles ? et toutes les actions engendrées à l'aide de ces règles se trouvent-elles dans le roman ? Pour répondre à la première question, on peut dire que les règles formulées ici ont surtout une valeur d'exemple, et non celle d'une description exhaustive ; d'autre part, on découvrira plus loin les mobiles de certaines autres actions. En ce qui concerne la deuxième question, une réponse négative ne doit pas faire douter de la valeur du modèle proposé. En lisant un roman, on sent intuitivement que les actions décrites découlent d'une certaine logique ; et on peut dire, à propos d'autres actions qui n'en font pas partie, qu'elles obéissent ou n'obéissent pas à cette logique. En d'autres mots, on ressent à travers chaque œuvre, qui n'est que de la *parole*, qu'il existe aussi

une *langue* dont elle est une des réalisations. Notre tâche est d'étudier précisément cette langue. Ce n'est que dans cette perspective qu'on peut envisager la question de savoir pourquoi l'auteur a choisi telles péripéties pour ses personnages plutôt que telles autres, alors que les unes et les autres obéissent à la même logique.

II. L'ASPECT LITTÉRAL DU RÉCIT.

En examinant l'aspect littéral du récit, on ne cesse pas d'interroger le sens des éléments du récit ; mais ce sens n'existe qu'au niveau de l'écriture et non de la référence. Cette interrogation ne porte pas, d'autre part, sur les conditions d'apparition du récit, c'est-à-dire de quelles façons les particularités de son procès d'énonciation rejaillissent sur la signification générale. Ces deux limites déterminent le champ de l'aspect littéral du récit, champ presque entièrement inconnu, sur lequel on ne donnera ici que quelques remarques succinctes.

Un phénomène du langage peut nous indiquer comment évoquer cet aspect du récit. Ce sont les *figures de rhétorique*. On s'est longtemps mépris sur le principe constitutif de la figure ; on a voulu lui trouver des critères de types très différents ; et pourtant certaines figures échappaient à tout critère. Pourtant celui-ci existe, mais sa généralité le rend difficilement perceptible : est figure l'expression linguistique que nous percevons en elle-même et non seulement comme un médiateur de la signification. Voici la raison pour laquelle le nombre de figures varie de traité en traité, et l'inventaire définitif ne peut jamais être fixé : les figures sont en nombre infini ; pour découvrir une figure il suffit de savoir comment décrire telle ou telle disposition particulière des mots. Ainsi, au XVIIIe siècle, les constructions syntaxiques étaient traitées comme des figures au même rang (bien que non dans la même classe) que les métaphores ou les hyperboles : dans les deux cas, on percevait une combinaison particulière de mots. Ce à quoi toutes les figures s'opposent c'est à l'indescriptible ; et l'indescriptible (ou ce qui ne mérite pas d'être décrit), c'est le naturel : ainsi l'ordre des mots « habituel », la combinaison de mots « courante » ne font pas figure car ils vont de soi. La figure est donc une opacité de sens, l'absence de figure une ouverture vers la signification référentielle abstraite (1).

(1) On trouvera ici-même, dans un *Appendice* une étude plus détaillée, consacrée exclusivement au problème capital de la figure.

L'opacité de sens qui caractérise l'aspect littéral d'un énoncé concerne tout autant le récit que les figures rhétoriques. Les récits possèdent aussi leurs figures ; les figures du récit, c'est le récit qu'on perçoit en tant que tel. Mais il n'est pas besoin de suivre jusqu'au bout les rhéteurs du XVIIIe siècle, et continuer à croire dans l'existence d'une « expression naturelle » face à l'expression figurée. Tous les récits sont figurés, le récit ne va jamais de soi et l'exposé le plus impartial contient une figure, serait-elle des plus pauvres. Ce problème de la « figuralité » du récit attend encore son étude, et ici on se limitera à illustrer ses traits les plus importants, en se servant pour cela des remarques des poétiques classiques sur la composition.

La figure sur laquelle les poéticiens se sont arrêtés le plus longuement est celle du *parallélisme*. On pourrait écrire ainsi la formule du parallélisme : AX ... AY, où A est un élément identique qui revient, alors que X et Y sont des variables qui l'accompagnent et se trouvent par là même confrontées.

On peut distinguer deux types principaux du parallélisme : celui de l'intrigue, qui concerne les grandes unités du récit ; et celui des formules verbales (les « détails »). Citons quelques exemples du premier type. Un de ses dessins confronte les couples Valmont-Tourvel et Danceny-Cécile. Danceny fait la cour à Cécile en lui demandant la permission de lui écrire ; Valmont conduit son flirt de la même façon. De l'autre côté, Cécile interdit à Danceny de lui écrire, exactement comme Trouvel le fait pour Valmont. Chacun des participants est caractérisé plus nettement grâce à cette comparaison : les sentiments de Tourvel contrastent avec ceux de Cécile, il en est de même quant à Valmont et Danceny.

L'autre dessin parallèle concerne les couples Valmont-Cécile et Merteuil-Danceny ; il sert moins à caractériser ces héros qu'à favoriser la composition du livre ; sans lui, Merteuil serait restée sans liaison importante avec les autres personnages. Cette faible intégration de Mme de Merteuil dans le réseau des personnages est d'ailleurs un des rares défauts de la composition du roman ; ainsi le lecteur n'a pas suffisamment d'indications sur son charme féminin qui joue pourtant un si grand rôle dans le dénouement (ni Belleroche ni Prévan ne sont directement présents dans le roman).

Le second type de parallélisme repose sur une ressemblance entre des formules verbales articulées dans des circonstances identiques. Voici par exemple comment Cécile termine une de ses lettres : « Il faut que je finisse car il est près d'une heure ; ainsi M. de Valmont ne doit pas tarder » (l. 109). Mme de Tourvel conclut la sienne d'une façon semblable : « Je voudrais en vain écrire plus longtemps ; voici l'heure où il [Valmont] a promis de venir, et toute autre idée m'abandonne » (l. 132). Ici les formules et les situations semblables (deux femmes attendent leur amant qui est la même personne) accentuent la différence dans les sentiments des deux maîtresses de Valmont et représentent une accusation indirecte contre lui.

On pourrait objecter ici qu'une telle ressemblance risque fortement de passer inaperçue, les deux passages étant parfois séparés par des dizaines ou même des centaines de pages. Mais une telle objection ne concerne qu'une étude située au niveau de la perception et non à celui de l'œuvre. Il est dangereux d'identifier l'œuvre avec la perception qu'un individu en a ; la bonne lecture n'est pas celle du « lecteur moyen » mais une lecture optimale.

D'autres figures rhétoriques peuvent être considérées comme des subdivisions du parallélisme. En se fondant sur la relation entre X et Y, on peut distinguer les cas suivants :

$X = -Y$. C'est l'*antithèse,* contraste des termes mis en relation. Dans *Les Liaisons Dangereuses,* c'est la succession des lettres qui obéit au contraste : les différentes histoires doivent s'alterner, les lettres successives ne concernent pas le même personnage ; si elles sont écrites par la même personne, il y aura une opposition de contenu ou de ton.

AX ... AY ... AZ, ou $X > Y > Z$ ou $X < Y < Z$. Il s'agit évidemment de la *gradation*. Lorsqu'un rapport entre les personnages reste identique pendant plusieurs pages, un danger de monotonie guette leurs lettres. C'est par exemple le cas de Mme de Tourvel. Tout au long de la deuxième partie, ses lettres expriment le même sentiment. La monotonie est évitée grâce à la gradation, chaque lettre donne un indice supplémentaire de son amour pour Valmont, de sorte que l'aveu de cet amour (l. 90) vient comme une conséquence logique de ce qui précède.

X = Y. C'est le cas de la *répétition* complète. Evidemment la répétition n'est en fait jamais complète, car le morceau répété est entouré d'un contexte différent, notre connaissance de l'histoire est à chaque fois différente, etc.

Le groupe suivant de figures se rapproche davantage de celles qui sont fondées sur la syntaxe. Elles concernent les relations entretenues par les différents fils de l'intrigue à l'intérieur de l'histoire. Dans le cas des *Liaisons Dangereuses*, on peut admettre qu'il en existe trois, qui racontent les aventures de Valmont avec Mme de Tourvel, Cécile et Mme de Merteuil. Les histoires peuvent se lier de plusieurs façons. Le conte populaire et les recueils de nouvelles en connaissent déjà deux : l'*enchaînement* et l'*enchâssement*. L'enchaînement consiste simplement à juxtaposer différentes histoires : une fois la première achevée, on commence la seconde. L'unité est assurée par une ressemblance dans la construction de chacune : par exemple, trois frères partent successivement à la recherche d'un objet précieux ; chacun des voyages fournit la base d'une des histoires. L'enchâssement, c'est l'inclusion d'une histoire à l'intérieur d'une autre. Ainsi tous les contes des *Mille et une nuit* sont enchâssés dans le conte de Chahrazade. Ces deux types de combinaison représentent une projection rigoureuse des deux rapports syntaxiques fondamentaux, la coordination et la subordination.

Il existe toutefois un troisième type de combinaison, l'*alternance*. Il consiste à raconter les deux histoires simultanément, en interrompant tantôt l'une tantôt l'autre, pour la reprendre à l'interruption suivante. Cette forme caractérise évidemment les genres littéraires ayant perdu toute liaison avec la littérature orale : celle-ci ne peut pas connaître l'alternance. Comme exemple célèbre d'alternance on peut citer le roman de Hoffmann *Le Chat Murr*, où le récit du chat alterne avec celui du musicien ; également le *Récit de Souffrances* de Kierkegaard. Deux de ces formes se manifestent dans *Les Liaisons Dangereuses*. D'une part, les histoires de Tourvel et de Cécile s'alternent tout au long du récit ; de l'autre, elles sont toutes deux enchâssées dans l'histoire du couple Merteuil-Valmont. Ce roman, cependant, étant bien construit, ne permet pas d'établir de limites nettes entre les histoires : les transitions y sont dissimulées ;

et le dénouement de chacune sert le développement de la suivante. De plus, elles sont liées par l'image de Valmont qui entretient des rapports étroits avec chacune des trois héroïnes. Il existe d'autres liaisons entre les histoires ; ainsi les personnages secondaires qui assurent des fonctions dans plusieurs histoires. Mme de Volanges, mère de Cécile, est amie et parente de Mme de Merteuil et en même temps conseillère de Mme de Tourvel. Danceny se lie successivement avec Cécile et Mme de Merteuil. Mme de Rosemonde offre son hospitalité aussi bien à Mme de Tourvel qu'à Cécile et sa mère. Gercourt, ancien amant de Mme de Merteuil, veut épouser Cécile. Etc. Chaque personnage peut cumuler de multiples fonctions.

A côté des histoires principales, il en apparaît d'autres, secondaires, qui ne servent habituellement qu'à caractériser un personnage. Ces histoires (les aventures de Valmont au Château de la Comtesse, ou avec Emilie ; celles de Prévan avec les « inséparables » ; celles de la Marquise avec Prévan ou Belleroche) sont moins intégrées à l'ensemble du récit que les histoires principales et le lecteur les sent comme « enchâssées ».

L'intrigue entière du roman forme, elle aussi, une figure (même si celle-ci ne se trouve pas telle quelle dans les traités de rhétorique). On pourrait l'appeler l'*infraction à l'ordre*. Cette infraction est sensible dans toute la dernière partie du livre, et en particulier entre les lettres 142 et 162, c'est-à-dire entre la rupture de Valmont avec Tourvel et la mort de Valmont. Elle concerne tout d'abord l'image même de Valmont, personnage principal du récit. La quatrième partie commence par la chute de Tourvel. Valmont prétend dans la lettre 125 que cette aventure ne se distingue en rien des autres ; mais le lecteur s'aperçoit facilement, surtout aidé par Mme de Merteuil, que le ton trahit un rapport autre que celui qui est déclaré : cette fois-ci, il s'agit d'amour, c'est-à-dire de la même passion qui anime toutes les « victimes ». En remplaçant son désir de possession et l'indifférence qui le suivait par l'amour, Valmont quitte le groupe des forts et détruit déjà une première répartition. Il est vrai que plus tard il sacrifiera cet amour pour écarter les accusations de Mme de Merteuil, mais ce sacrifice ne résout pas l'ambiguïté de son attitude précédente. Plus tard, d'ailleurs, Valmont entreprend d'autres démarches qui devraient le rapprocher de Tourvel (il lui écrit, il écrit à Volanges, sa dernière confidente) ; et son désir de vengeance contre Merteuil signifie aussi qu'il regrette son premier geste. Mais le doute n'est pas levé ; le Rédacteur le dit explicitement dans une de ses notes (l. 154) sur la lettre de Valmont envoyée à Mme de Volanges pour être remise à Mme de Tourvel et qui n'est pas présente dans le livre : « C'est parce qu'on n'a rien trouvé dans la suite de cette Correspondance qui pût résoudre ce doute, qu'on a pris le parti de supprimer la lettre de M. de Valmont. »

La conduite de Valmont avec Mme de Merteuil est tout aussi étrange, vue dans la perspective de la logique esquissée précédemment. Ce rapport semble réunir des éléments très divers, et jusqu'alors incompatibles : le désir de possession se mêle à l'action d'« empêcher » et en même temps à la confidence. Ce fait (qui est en désaccord avec la quatrième règle) se révèle décisif pour le sort de Valmont : il continue à se confier à la Marquise même après la déclaration de « guerre ». Et l'infraction à la loi est punie par la mort. Valmont oublie même qu'il peut agir sur deux niveaux pour réaliser ses désirs, ce dont il se servait si habilement auparavant : dans ses lettres à la Marquise, il avoue naïvement ses désirs sans essayer d'adopter une tactique plus souple (ce qu'il devrait faire en raison de l'attitude de Merteuil). Même sans se référer aux lettres de la Marquise à Danceny, le lecteur peut se rendre compte qu'elle a mis fin à son rapport amical avec Valmont.

Peut-on imaginer au roman une quatrième partie différente, telle que l'ordre précédent n'en soit pas enfreint ? Valmont aurait sans doute trouvé un moyen plus souple pour rompre avec Tourvel ; s'il était survenu un conflit entre lui et Merteuil, il aurait su le résoudre avec plus d'habileté et sans s'exposer à tant de dangers. Les « roués » auraient trouvé une solution qui leur permette d'éviter les attaques de leurs propres victimes. A la fin du livre, les deux camps seraient restés aussi séparés qu'au début, et les deux complices tout aussi puissants. Même si le duel avec Danceny avait eu lieu, Valmont aurait su ne pas s'exposer au danger mortel...

Il est inutile de continuer : sans faire des interprétations psychologiques, on se rend compte que le roman ainsi conçu ne serait plus le même, il ne serait même plus rien. Il aurait été simplement le récit d'une aventure galante, la conquête d'une « prude », à la conclusion « cocasse ». Ceci nous montre qu'il ne s'agit pas ici d'une particularité mineure de la construction mais de ce qui en fait le centre même ; on a plutôt l'impression que le récit entier consiste à rendre possible précisément ce dénouement. Le fait que le récit perdrait toute son épaisseur esthétique et morale s'il n'avait pas ce dénouement se trouve symbolisé dans le roman même. En effet, l'histoire est présentée de telle sorte qu'elle doit sa propre existence à l'infraction de l'ordre. Si Valmont n'avait pas transgressé les lois de sa propre morale (et celles de la structure du roman), sa correspondance et celle de Merteuil n'auraient jamais été publiées : cette publication est une conséquence de leur rupture, et plus généralement, de l'infraction. Ce détail n'est pas dû au hasard, comme on pourrait le croire : l'histoire entière ne se justifie, en effet, que dans la mesure où la punition du mal est peinte dans le roman. Si Valmont n'avait pas trahi sa première image, le livre n'aurait pas droit à l'existence.

L'infraction à l'ordre a été caractérisée jusqu'ici d'une manière négative, comme la négation de l'ordre précédent. Tournons-nous maintenant vers le contenu positif de ces actions, vers le système qui leur est sous-jacent. D'abord ses éléments : Valmont, le roué, tombe amoureux d'une « simple » femme ; Valmont oublie de ruser avec Mme de Merteuil ; Cécile va se repentir de ses péchés au monastère ; Mme de Volanges prend le rôle du raisonneur... Toutes ces actions ont un dénominateur commun : elles obéissent à la morale conventionnelle, telle qu'elle existait au temps de Laclos (ou même plus tard). Donc l'ordre qui détermine les actions des personnages dans et après le dénouement est simplement d'ordre conventionnel, l'ordre extérieur à l'univers du livre. Une confirmation de cette hypothèse est donnée aussi par le nouveau rebondissement de l'affaire Prévan. A la fin du livre, on voit Prévan rétabli dans toute son ancienne grandeur ; pourtant le lecteur se rappelle que, dans son conflit avec la Marquise, tous deux avaient exactement les mêmes désirs cachés et manifestes. Merteuil avait simplement réussi à être la plus rapide, elle n'était pas la plus coupable. Ce n'est donc pas une justice suprême, un ordre supérieur qui s'instaure à la fin du livre ; c'est bel et bien la morale conventionnelle de la société contemporaine, morale pudibonde et hypocrite, différente en cela de celle de Valmont et de Merteuil dans le reste du livre. Ainsi la « vie » devient partie intégrante de l'œuvre : son existence est un élément essentiel qu'on doit connaître pour comprendre la structure du récit. C'est seulement à ce moment de l'analyse que l'intervention de l'aspect social se justifie ; ajoutons qu'elle est aussi tout à fait nécessaire. Le livre peut s'arrêter parce qu'il établit l'ordre qui existe dans la réalité.

Placés dans cette perspective, nous pouvons nous apercevoir que les éléments de cet ordre conventionnel étaient déjà présents auparavant ; et ils expliquent ces événements et ces actions qui ne pouvaient l'être dans le système précédemment décrit. Ici s'inscrit par exemple l'action de Mme de Volanges auprès de Tourvel et Valmont, une action d'opposition qui n'avait pas les mêmes motivations que celles reflétées par notre R. 3. Mme de Volanges hait Valmont, non parce qu'elle est du nombre des femmes qu'il a délaissées, mais en accord avec ses principes moraux. Il en est exactement de même quant à l'attitude du Confesseur de Cécile qui devient, lui aussi, un opposant : la morale conventionnelle, extérieure à l'univers du roman guide ses pas. Ce sont des actions dont la motivation ou les mobiles ne sont pas dans le roman, mais sont extérieures à lui : on agit ainsi parce qu'il le faut, c'est l'attitude naturelle qui ne demande pas de justification. Enfin, nous pouvons trouver là aussi l'explication de l'attitude de Tourvel : elle s'oppose obstinément à ses propres sentiments au nom d'une conception éthique qui veut que la femme ne trompe pas son mari. Ainsi le récit s'éclaire sous un nouveau jour : il n'est pas le simple exposé d'une action, mais l'histoire du conflit entre deux ordres ; celui du livre et celui de son contexte social. Jusqu'à leur dénouement, *Les Liaisons Dangereuses* établissent un nouvel ordre, différent de celui du milieu extérieur. L'ordre extérieur n'est présent ici que comme mobile à certaines actions. Le dénouement enfreint cet ordre du livre, et ce qui suit nous ramène à ce même ordre extérieur, à la restauration de ce qui était détruit par le récit précédent. La façon dont cette partie de l'intrigue est racontée dans le roman est particulièrement instructive, car le narrateur évite de prendre position envers cette restauration. Si le récit précédent était mené au niveau de l'être, le récit de la fin est entièrement dans le paraître. Le lecteur ne sait pas quelle est la vérité, il ne connaît que les apparences ; et il ne sait pas quelle est la position exacte de l'auteur. Le seul jugement moral exprimé vient de Mme de Volanges ; or, comme par un fait exprès, c'est précisément dans ses dernières lettres que Mme de Volanges est caractérisée comme une femme superficielle, privée d'opinion propre, cancanière, etc. Il semblerait que l'auteur veut nous préserver d'accorder trop de confiance aux jugements qu'elle porte ! La morale de la fin du livre rétablit Prévan dans ses droits ; est-ce là la morale de Laclos ? Cette ambiguïté profonde, cette ouverture vers des interprétations opposées distingue le roman de Laclos de nombreux romans « bien construits » et le place au rang des chefs-d'œuvre.

Les Liaisons Dangereuses incarnent une des relations possibles entre les deux ordres. On peut supposer que la possibilité inverse existe aussi : le récit qui explicite, dans son développement, l'ordre existant à l'extérieur, et dont le dénouement introduirait un ordre nouveau, celui, précisément, de l'univers romanesque. Pensons par exemple aux romans de Dickens, qui présentent, pour la plupart, cette structure inverse : tout au long du livre, c'est l'ordre extérieur, l'ordre de la vie qui domine les actions des personnages ; dans le dénouement il se produit un miracle, tel personnage riche se révèle subitement comme un être généreux, et rend possible l'instauration d'un ordre nouveau. Cet ordre nouveau — le règne de la vertu — n'existe évidemment que dans le livre, mais c'est lui qui triomphe après le dénouement. Il n'est toutefois pas certain qu'on doive trouver dans tous les récits une semblable infraction. Certains romans modernes ne peuvent pas être présentés comme le conflit de deux ordres mais plutôt comme une série de variations en gradation, du même sujet. Telle se présente la structure des romans de Kafka, de Beckett, etc. En tous les cas, la notion d'infraction, comme d'ailleurs toutes celles concernant la structure de l'œuvre, pourra servir comme critère pour une typologie future des récits littéraires.

III. LE RÉCIT COMME PROCÈS D'ÉNONCIATION.

Une troisième possibilité d'envisager le récit consiste à le considérer comme étant essentiellement un procès d'énonciation. On s'arrêtera ici sur deux de ses traits que l'on appellera les « visions » et les « registres de la parole ».

1. *LES VISIONS DU RÉCIT.*

En lisant une œuvre de fiction, le lecteur n'a pas une perception directe des événements qu'elle décrit. En même temps que les événements, il perçoit, bien que d'une manière différente, la perception qu'en a celui qui les raconte. Les différents types de perception, reconnaissables dans le récit, seront appelés ses « visions ». Plus précisément, la vision reflète la relation entre un *il* (sujet de l'énoncé) et un *je* (sujet de l'énonciation), entre le personnage et le narrateur.

J. Pouillon (*Temps et roman*. Paris, Gallimard, 1946) a proposé une classification des visions du récit, qu'on reprendra ici avec des modifications mineures. Cette perception interne connaît trois types principaux.

1. *Narrateur > Personnage (la vision « par derrière »)*. Le récit classique utilise le plus souvent cette formule. Dans ce cas, le narrateur en sait davantage que son personnage. Il ne se soucie pas d'expliquer comment il a acquis cette connaissance : il voit à travers les murs de la maison aussi bien qu'à travers le crâne de son héros. Ses personnages n'ont pas de secrets pour lui. Evidemment, cette forme présente différents degrés. La supériorité du narrateur peut se manifester soit dans une connaissance des désirs secrets de quelqu'un (que ce quelqu'un ignore lui-même), soit dans la connaissance simultanée des pensées de plusieurs personnages (ce dont aucun d'eux n'est capable), soit simplement dans la narration d'événements qui ne sont pas perçus par un seul personnage. Ainsi Tolstoï dans sa nouvelle *Trois morts* raconte successivement l'his-

toire de la mort d'une aristocrate, d'un paysan et d'un arbre. Aucun des personnages ne les a perçus ensemble : cette nouvelle est donc une variante de la vision « par derrière ».

2. *Narrateur = Personnage (la vision « avec »)*. Cette seconde forme est tout aussi répandue en littérature, surtout à l'époque moderne. Dans ce cas, le narrateur en sait autant que les personnages, il ne peut nous fournir une explication des événements avant que les personnages ne l'aient trouvée. Ici aussi on peut établir plusieurs distinctions. D'une part, le récit peut être mené à la première personne (ce qui justifie le procédé) ou à la troisième personne, mais toujours suivant la vision qu'a des événements un même personnage : le résultat, évidemment, n'est pas le même ; on sait que Kafka avait commencé à écrire *le Château* à la première personne, et il n'a modifié la vision que beaucoup plus tard, passant à la troisième personne, mais toujours dans la vision « narrateur = personnage ». D'autre part, le narrateur peut suivre un seul ou plusieurs personnages (les changements pouvant être systématiques ou non). Enfin, il peut s'agir d'un récit conscient de la part d'un personnage, ou d'une « dissection » de son cerveau, comme souvent chez Faulkner. On reviendra un peu plus tard sur ce cas.

3. *Narrateur < Personnage (la vision « du dehors »)*. Dans ce troisième cas, le narrateur en sait moins que n'importe lequel des personnages. Il peut décrire uniquement ce que l'on voit, entend, etc. mais il n'a accès à aucune conscience. Bien sûr, ce pur « sensualisme » est une convention car un tel récit serait incompréhensible ; mais il existe comme modèle d'une certaine écriture. Les récits de ce genre sont beaucoup plus rares que les autres, et l'utilisation systématique de ce procédé n'a été faite qu'au XXe siècle. Citons-en un passage caractéristique :

« Ned Beaumont repassa devant Madvig et écrasa le bout de son cigare dans un cendrier de cuivre avec des doigts qui tremblaient.

Les yeux de Madvig restèrent fixés sur le dos du jeune homme jusqu'à ce qu'il se fût redressé et retourné. L'homme blond eut alors un rictus à la fois affectueux et exaspéré » (D. Hammett, *La Clé de verre*).

D'après une telle description, nous ne pouvons savoir si les deux personnages sont des amis ou des ennemis, satisfaits ou mécontents, encore moins à quoi ils pensent en faisant ces gestes. Ils sont même à peine nommés : on préfère dire « l'homme blond », « le jeune homme ». Le narrateur est donc un témoin qui ne sait rien et, plus même, ne veut rien savoir. Pourtant l'objectivité n'est pas aussi absolue qu'elle se voudrait (« affectueux et exaspéré »).

Revenons maintenant au deuxième type, celui dans lequel le narrateur possède autant de connaissances que les personnages. Nous avons dit que le narrateur peut passer de personnage à personnage ; mais encore faut-il spécifier si ces personnages racontent (ou voient) le même événement ou bien des événements différents. Dans le premier cas, on obtient un effet particulier, qu'on a appelé plus haut une « vision stéréoscopique ». En effet, la pluralité de perceptions donne une vision plus complexe du phénomène décrit. D'autre part, les descriptions d'un même événement permettent au lecteur de concentrer son attention sur le personnage qui le perçoit car ce lecteur connaît déjà l'histoire.

Considérons à nouveau *Les Liaisons Dangereuses*. Les romans par lettres du XVIIIe siècle utilisaient couramment cette technique, chère à Faulkner, qui consiste à raconter la même histoire plusieurs fois mais vue par des personnages différents. On a déjà vu que toute l'histoire des *Liaisons* est racontée en fait deux, et souvent même trois fois. Mais à regarder ces récits de près, on découvre que non seulement ils donnent une vision stéréoscopique des événements, mais qu'ils sont encore qualitativement différents. Rappelons brièvement cette succession.

Dès le début, les deux histoires qui alternent sont présentées sous des éclairages différents : Cécile raconte naïvement ses expériences à Sophie, tandis que Merteuil les interprète dans ses lettres à Valmont ; d'autre part, Valmont informe la Marquise de ses expériences avec Tourvel, qui écrit elle-même à Volanges. Dès le début, on peut se rendre compte de la dualité déjà remarquée au niveau des rapports entre les personnages : les révélations de Valmont nous instruisent de la mauvaise foi que Tourvel met dans ses descriptions ; de même pour la naïveté de Cécile. Avec l'arrivée de Valmont à

Paris, on se rend compte de ce que sont en fait Danceny et ses actes. A la fin de la deuxième partie, c'est Merteuil elle-même qui donne deux versions de l'affaire Prévan : l'une de ce qu'elle est, l'autre, de ce qu'elle doit paraître aux yeux des gens. Il s'agit donc à nouveau de l'opposition entre niveau apparent et niveau réel, ou vrai.

L'ordre d'apparition des versions n'est pas obligatoire mais il est utilisé dans des buts différents. Quand le récit de Valmont ou de Merteuil précède celui des autres personnages, nous lisons ce dernier avant tout comme une information sur celui qui écrit la lettre. Dans le cas inverse, un récit sur les apparences réveille notre curiosité et nous attendons une interprétation plus profonde. La vision du récit qui relève de l'« être » se rapproche donc d'une vision « par derrière » (du cas « narrateur > personnage »). Le récit a beau toujours être narré par des personnages : certains d'entre eux peuvent, tout comme l'auteur, nous révéler ce que les autres pensent ou ressentent.

La valeur des visions dans le récit s'est rapidement modifiée depuis l'époque de Laclos. L'artifice de présenter l'histoire à travers ses projections dans la conscience d'un personnage sera de plus en plus utilisé au cours du XIXe siècle, et, après avoir été systématisé par Henry James, il deviendra règle obligatoire au XXe siècle. D'autre part, l'existence de deux niveaux qualitativement différents est un héritage des temps plus anciens : le siècle des Lumières exige que la vérité soit dite. Le roman postérieur se contentera de plusieurs versions du « paraître » sans prétendre à une version qui soit la seule vraie. Il faut dire que *Les Liaisons Dangereuses* se distinguent avantageusement de beaucoup d'autres romans de l'époque par la discrétion avec laquelle ce niveau de l'être est représenté : le cas de Valmont, à la fin du livre, laisse le lecteur perplexe. C'est dans ce même sens qu'ira une grande partie de la littérature du XIXe siècle.

2. *LES REGISTRES DE LA PAROLE.*

Les visions du récit concernaient la façon dont l'histoire était perçue par le narrateur ; les registres de la parole concernent la façon dont ce narrateur l'expose, la présente. C'est à ces registres qu'on se réfère lorsqu'on dit qu'un écrivain « montre » les choses, alors que tel autre ne fait que les « dire ». Il existe deux registres principaux : la représentation et la narration. Ces deux termes, employés déjà dans les poétiques classiques, se rapportent évidemment au type d'énoncé utilisé par l'écrivain. Les principaux aspects de l'énoncé, déjà indiqués, se trouvent ici incarnés chaque fois dans un seul énoncé, suivant que l'accent est mis sur l'aspect référentiel ou littéral ou sur le procès d'énonciation. On verra ainsi quelle réalité linguistique est recouverte par les mots « narration » et « représentation ».

Prenons quelques exemples du roman pour illustrer les différents registres de la parole. « Vressac fut donc boudé à son retour. Il voulut en demander la cause, on le querella. Il essaya de se justifier ; le mari qui était présent servit de prétexte pour rompre la conversation ... » (l. 71). Ce passage utilise apparemment le mode de la narration. Le fait qui y est raconté ne se déroule pas devant nos yeux ; nous ne connaissons pas les mots que les personnages se disent. Ce récit se veut transparent et nous ne sommes pas censés le percevoir pour lui-même ; les faits rapportés s'expriment, dirait-on, eux-mêmes. Seul l'aspect référentiel semble présent dans cet énoncé. Pourtant une lecture plus attentive montrerait que, même dans ce passage choisi pour illustrer la narration, certains éléments ne lui appartiennent pas. Le choix des détails, le ton du narrateur, le « donc », la construction des phrases, le lexique présupposent des choix du locuteur, et nous renvoient ainsi au procès de l'énonciation ; en même temps ils se laissent percevoir pour eux-mêmes et non seulement comme une information sur autre chose : l'aspect littéral de l'énoncé est donc aussi présent.

Voici la raison pour laquelle on parlera d'accent mis sur tel ou tel aspect de l'énoncé, plutôt que d'énoncés relevant de tel ou tel mode du récit. La narration, en particulier (c'est-à-dire la présence exclusive de l'aspect référentiel), n'est qu'un modèle d'écriture qui ne peut jamais se réaliser à l'état pur. L'écriture transparente, fixée à un degré zéro, n'existe pas ; la narration n'est qu'un des pôles entre lesquels oscille la modalité de l'énoncé romanesque.

En face d'elle, la représentation apparaît comme un phénomène plus complexe : relève de la représentation tout discours qui ne fait pas partie de la narration. « J'ai bien envie d'en parler à Mme de Merteuil qui m'aime bien. Je voudrais bien le consoler ; mais je ne voudrais rien faire qui fût mal. On nous recommande tant d'avoir bon cœur ! et puis on nous défend de suivre ce qu'il inspire quand c'est pour un homme ! Ce n'est pas juste non plus. Est-ce qu'un homme n'est pas notre prochain comme une femme, et plus encore ? car enfin n'a-t-on pas son père comme sa mère, son frère comme sa sœur ? il reste toujours le mari de plus » (l. 16).

Dans cet extrait d'une lettre de Cécile, notons les différents registres de la parole qui interviennent. Prenons d'abord la phrase « est-ce qu'un homme n'est pas notre prochain comme une femme et plus encore ? » Elle ne nous renvoie pas à une réalité qui lui est extérieure, mais uniquement à son propre sens, par son statut même de réflexion, et non de relation. L'accent est mis ici sur l'aspect littéral de l'énoncé.

Le même aspect se manifeste dans les figures rhétoriques. On peut signaler ici les parallélismes (« son père comme sa mère, son frère comme sa sœur »), les questions rhétoriques (dans la phrase citée auparavant), les exclamations, etc.

L'aspect littéral se manifeste à nouveau dans ce qu'on pourrait appeler le « discours connotatif », qui évoque un contexte des mots, différent de celui où ils se trouvent maintenant. Suivant que ce contexte est linguistique ou extralinguistique, se manifestent les phénomènes de pastiche (ou d'imitation) et d'évocation par milieu. Ce dernier type de discours connotatif est attesté dans l'extrait cité : par exemple dans les tournures familières des phrases comme « ce n'est pas juste non plus », « qui m'aime bien », « je voudrais bien le consoler », etc., dans le style négligé apparaissant dans la triple répétition de « bien » au début.

Tous ces phénomènes linguistiques renseignent sur le discours lui-même, ils font prendre conscience de l'énoncé en tant que tel, non de son aspect référentiel, ni de son procès d'énonciation. Ce dernier est attesté par d'autres moyens. Ainsi par le discours *rapporté*, c'est-à-dire un discours dont le contexte nous apprend qu'il a déjà été énoncé ailleurs (il correspond à la citation). C'est le cas de la phrase « on nous recommande tant d'avoir bon cœur ! », etc.., où le verbe « recommander » introduit un style indirect ; par conséquent il s'agit d'un témoignage sur le procès d'énonciation des paroles qui suivent.

Un autre phénomène linguistique fait prendre conscience au lecteur du procès d'énonciation ; c'est le discours *personnel*, c'est-à-dire celui qui contient des « shifters » (« je, ici, maintenant »). La présence du pronom personnel de la première personne (« j'ai bien envie », « je voudrais », etc.) établit une relation entre le sujet de l'énoncé et le sujet de l'énonciation et témoigne de la présence de ce dernier dans le discours.

Enfin tous les traits linguistiques qui se réfèrent à l'émetteur ou au récepteur du message (ses fonctions émotive et conative) révèlent également le procès d'énonciation. Dans le passage cité, les nombreuses exclamations de Cécile, et ses expressions telles que « j'ai *bien* envie », « je voudrais *bien* », etc., sont autant d'indications sur son rapport envers l'énoncé et par conséquent sur la présence d'un élément du procès d'énonciation dans l'énoncé.

Ainsi ce qu'on appelle représentation se trouve recouvrir des phénomènes assez divers et qui sont liés respectivement à l'aspect littéral de l'énoncé et à son procès d'énonciation ; ils n'ont pour trait commun que d'être opposés à la narration.

Les visions et les registres de la parole dans le récit sont deux catégories qui entrent dans des rapports très étroits et qui concernent, toutes les deux, l'image du narrateur. C'est pourquoi les critiques littéraires ont eu tendance à les confondre. Ainsi Henry James et, à sa suite, Percy Lubbock, ont distingué deux styles principaux dans le récit : le style « panoramique » et le style « scénique ». Chacun de ces termes cumule deux notions ; le scénique, c'est en même temps la représentation et la vision « avec » (narrateur = personnage) ; le « panoramique », c'est la narration et la vision « par derrière » (narrateur > personnage). Pourtant cette identification n'est pas obligatoire. Dans *Les Liaisons Dangereuses*, jusqu'au dénouement la narration est confiée à Valmont qui a une vision proche de celle « par derrière » ; en revanche, après le dénouement, elle est reprise par Mme de Volanges qui ne comprend guère les événements qui surviennent et dont le récit relève entièrement de la vision « avec » (sinon « du dehors »). Les deux catégories doivent donc être bien distinguées pour qu'on puisse ensuite se rendre compte de leurs relations mutuelles.

Cette confusion apparaît plus dangereuse encore si on se rappelle que derrière tous ces procédés se dessine l'image du narrateur, image prise parfois pour celle de l'auteur lui-même. Le narrateur dans *Les Liaisons Dangereuses* n'est évidemment pas Valmont, celui-ci n'est qu'un personnage provisoirement chargé de la narration.

On peut maintenant observer plus pleinement l'infraction dont nous avons parlé auparavant. L'infraction ne se résume pas simplement à une conduite de Valmont, qui n'est plus conforme aux règles et distinctions établies ; elle concerne également la façon dont le lecteur en est averti. Tout au long du récit, celui-ci était certain de la véracité ou de la fausseté des actes et des sentiments relatés : le commentaire constant de Merteuil et de Valmont le renseignait sur l'essence même de tout acte, il lui donnait « l'être » lui-même, et non seulement le « paraître ». Mais le dénouement consiste précisément dans la suspension des confidences entre les deux protagonistes ; ceux-ci cessent de se confier à qui que ce soit et le lecteur est tout d'un coup privé du savoir certain, il est privé de l'être et il doit, seul, essayer de le deviner à travers le paraître. C'est pour cette raison que nous ne savons pas si Valmont aime ou n'aime pas vraiment la Présidente ; c'est pour cette même raison que nous ne sommes pas certains des véritables raisons qui poussent Merteuil à agir (alors que jusque-là, tous les éléments du récit avaient une interprétation indiscutable) : voulait-elle vraiment tuer Valmont sans craindre les révélations qu'il peut faire ? Ou bien Danceny est-il allé trop loin dans sa colère et a-t-il cessé d'être une simple arme entre les mains de Merteuil ? On ne le saura jamais.

La narration est prise en charge, on l'a vu, par les lettres de Valmont et de Merteuil, avant ce moment d'infraction, et plus tard, par celles de Mme de Volanges. Ce changement n'est pas une substitution simple, mais le choix d'une nouvelle vision : alors que dans les trois premières parties du livre, la narration se situait au niveau de l'être, dans la dernière, elle prend celui du paraître. Mme de Volanges ne saisit que les apparences des événements (Mme de Rosemonde elle-même est mieux renseignée ; mais elle ne raconte pas). Ce changement d'optique dans la narration est particulièrement sensible par rapport à Cécile : comme dans la quatrième partie du livre, il n'y a pas de lettres d'elle (la seule qu'elle signe est dictée par Valmont), le lecteur n'a plus aucun moyen d'apprendre quel est, à ce moment, son « être ». Ainsi le Rédacteur a raison de promettre, dans sa Note de conclusion, de nouvelles aventures de Cécile : nous ne connaissons pas les véritables raisons de sa conduite, son sort n'est pas clair, son avenir est énigmatique.

Le narrateur est le sujet de cette énonciation que représente un livre. Tous les procédés examinés ici ramènent à ce sujet. C'est lui qui nous fait voir l'action par les yeux de tel ou tel personnage, ou bien par ses propres yeux, sans qu'il lui soit pour autant nécessaire d'apparaître sur scène. C'est lui qui choisit de nous rapporter telle péripétie à travers le dialogue de deux personnages ou la description « objective ». Nous avons donc une quantité de renseignements sur lui, qui devraient nous permettre de le saisir, de le situer avec précision ; mais cette image fugitive ne se laisse pas approcher et elle revêt constamment des masques contradictoires, allant de celle d'un auteur en chair et en os à celle d'un personnage quelconque.

Il y a toutefois un lieu où, semble-t-il, cette image se laisse approcher ; on peut l'appeler le niveau appréciatif. La description de chaque partie de l'histoire comporte son appréciation morale ; l'absence d'une appréciation représente une prise de position tout aussi significative. Cette appréciation, disons-le tout de suite, ne fait pas partie de notre expérience individuelle de lecteurs ni de celle de l'auteur réel ; elle est inhérente au livre et l'on ne pourrait correctement saisir la structure de celui-ci sans en tenir compte. On peut, avec Stendhal, trouver que Mme de Tourvel est le personnage le plus immoral des *Liaisons Dangereuses* ; on peut, avec Simone de Beauvoir, affirmer que Mme de Merteuil en est le personnage le plus attachant ; mais ce sont là des interprétations extérieures au sens du livre. Si nous ne condamnions pas Mme de Merteuil, si nous ne prenions pas le parti de la Présidente, la structure de l'œuvre en serait altérée. Il faut se rendre compte au départ qu'il existe deux interprétations morales, de caractère tout à fait différent ; l'une intérieure au livre (à toute œuvre d'art imitatif), et l'autre que les lecteurs donnent sans souci de la logique de l'œuvre ; celle-ci peut varier sensiblement suivant les époques et la personnalité du lecteur. Dans le livre, Mme de Merteuil reçoit une appréciation négative, Mme de Tourvel est une sainte, etc. Chaque acte y possède son appréciation bien qu'elle puisse ne pas être celle de l'auteur ni la nôtre (et c'est là un des critères dont nous disposons pour estimer la réussite de l'auteur).

Ce niveau appréciatif laisse entrevoir l'image du narrateur. Il n'est pas nécessaire pour cela que celui-ci nous adresse « directement » la parole : dans ce cas, il s'assimilerait, par la force de la convention littéraire, aux personnages. Pour deviner le niveau appréciatif, nous avons recours à un code de principes et de réactions psychologiques que le narrateur postule commun au lecteur et à lui-même (ce code n'étant plus admis par nous aujourd'hui, nous sommes en état de distribuer différemment les accents d'évaluation). Ici ce code peut être réduit à quelques maximes assez banales : ne faites pas de mal ; soyez sincères ; résistez à la passion ; etc. En même temps, le narrateur se repose sur une échelle évaluative des qualités psychiques ; c'est grâce à elle que nous respectons et craignons Valmont et Merteuil (pour la force de leur esprit, pour leur don de prévision) ou préférons Tourvel à Cécile de Volanges.

L'image du narrateur n'est pas une image solitaire : dès qu'elle apparaît, dès la première page, elle est accompagnée de ce qu'on peut appeler l'« image du lecteur ». Evidemment, cette image a aussi peu de rapports avec un lecteur concret que l'image du narrateur avec l'auteur véritable. Toutes deux sont en dépendance étroite, et dès que l'image du narrateur commence à ressortir plus nettement, le lecteur imaginaire se trouve lui aussi dessiné avec plus de précision. Ces deux images sont propres à toute œuvre de fiction ; la conscience de lire un roman et non un document nous engage à jouer le rôle de ce lecteur imaginaire ; et en même temps apparaît le narrateur, celui qui nous rapporte le récit, puisque le récit lui-même est imaginaire. Cette dépendance confirme la loi sémiotique selon laquelle « je » et « tu », l'émetteur et le récepteur d'un énoncé, apparaissent toujours ensemble.

Ces images prennent forme sur la base des conventions qui transforment l'histoire en discours. Le fait même que nous lisions le livre du début vers la fin (c'est-à-dire comme l'aurait voulu le narrateur) nous engage à jouer le rôle du lecteur. Le roman par lettres réduit théoriquement ces conventions au minimum : on pourrait imaginer lire un véritable recueil de lettres, l'auteur ne prend jamais la parole, le style direct couvre l'ensemble de l'œuvre. Mais dans son Avertissement de l'Editeur, Laclos détruit déjà cette illusion. L'existence de différentes visions est un autre rappel de la réalité du livre. Ainsi le lecteur prend conscience de son rôle à partir du moment où il sait plus ou moins que les personnages car cette situation contredit une vraisemblance dans le vécu.

APPENDICE

TROPES ET FIGURES

I. ACTUALITÉ DE LA RHÉTORIQUE.

Il n'y a pas très longtemps, on nous enseignait que la linguistique est une science tout récente, née au début du XIXe siècle des découvertes des frères Schlegel et surtout des pionniers de l'indo-européen Bopp et Rask. Son développement paraissait clair : une ligne droite jusqu'aux néo-grammairiens ; puis, la révolution saussurienne qui ouvre la voie à la « vraie » linguistique, la linguistique structurale. Seuls quelques noms peu évocateurs arrivaient à percer les ténèbres des siècles précédents : rares prédécesseurs qui n'étaient pas, d'ailleurs, allés bien loin.

On aurait tort de croire que cette image fut celle de chaque linguiste en particulier ; mais il est certain que, sous une forme ou une autre, elle a connu une large extension ; ses traces restent bien visibles même à l'heure actuelle. Toutefois quelques brusques changements dans le développement actuel de cette science, ainsi que les efforts constants de certains esprits lucides ont profondément changé cette image ; et maintenant nous nous rendons compte que l'histoire de la réflexion sur le langage commence en même temps que l'histoire de toute culture humaine. A nos yeux se dessine une tradition séculaire, riche mais inconnue que nous aurons à réinterpréter et à réévaluer. Tâche séduisante mais difficile, car il faut unifier des connaissances qui relevaient de disciplines différentes, s'étendant de la philosophie à la grammaire.

La rhétorique tient une place de choix dans cette tradition. Premier signe de la conscience humaine du langage, la rhétorique a connu plusieurs ascensions et plusieurs chutes, pour sombrer imperceptiblement mais, semble-t-il, définitivement au cours du XIXe siècle. Sans couvrir entièrement le champ de la linguistique actuelle, celui de la rhétorique le dépasse en étendue ; la description rhétorique reste encore aujourd'hui la seule que nous ayons de plusieurs aspects essentiels du langage ; et on peut être certain que la linguistique aura à se pencher sur les problèmes qui provoquaient les discussions acharnées des rhéteurs.

Ainsi du phénomène qu'on désignait par le nom de « tropes » ou de « figures ». Avec la mort de la rhétorique, il devint de bon ton de se moquer de tout souci de classification et de cet esprit méticuleux qui voulait mettre une étiquette sur chaque nuance du sens des mots. La science souscrit, semble-t-il, au crédo de Victor Hugo :

> « Syllepse, hypallage, litote,
> frémirent ; je montai sur la borne Aristote,
> et déclarai les mots égaux, libres, majeurs. »

On oubliait que ces figures correspondaient bien à « quelque chose » et que, dès lors les études du langage s'étant constituées en science, il fallait essayer de trouver à celles-là une explication — nouvelle, puisque l'ancienne ne valait rien. En rejetant l'ancienne manière de traiter le problème, on ne s'est pas aperçu qu'on avait écarté aussi le problème lui-même. Ainsi commença la longue période asémantique de la linguistique, dont nous entrevoyons à peine le terme aujourd'hui. Les réflexions des rhéteurs sur les tropes et les figures étaient bien de la sémantique ; et, en refusant de prendre la relève des rhéteurs, les premiers linguistes modernes condamnaient leur science à l'aveuglement devant une des grandes parties de son objet. Etait-ce parce que les créateurs des études de l'indoeuropéen étaient plongés dans l'histoire, alors que les rhéteurs étaient avant tout des « synchronistes » ?

Pour examiner la conception rhétorique des tropes et des figures, nous avons choisi une seule tranche de l'histoire : le XVIIIe et le début du XIXe siècles français. Une telle limitation ne serait pas justifiée s'il ne s'agissait de cette partie précisément de la rhétorique : on sait que, depuis le classicisme, les rhétoriques tendaient à omettre toutes les autres parties sauf l'*elocutio* ; en revanche, celle-ci s'enrichissait autant en étendue qu'en profondeur. Loin d'être des imitateurs dociles des Anciens, les rhéteurs français dirigeaient vers des chemins inconnus l'étude du langage figuré, incités certainement en cela par le développement de la philosophie et de la grammaire.

Deux personnages se détachent parmi les nombreux rhéteurs de cette époque : Du Marsais et Fontanier. Du Marsais, qu'on pourrait qualifier du plus grand linguiste français du XVIIIe siècle, a laissé, à côté de ses ouvrages de grammaire, un précieux traité *Des Tropes* qui passa longtemps pour un chef-d'œuvre du genre. Au début du XIXe siècle, Fontanier réédite le traité de Du Marsais en l'accompagnant d'un *Commentaire raisonné*, aussi long que l'ouvrage commenté. Quelques années plus tard, il publie son propre cours de rhétorique, en deux volumes, qui est une véritable encyclopédie de figures et de tropes (nous citerons dorénavant ces ouvrages en nous servant des abréviations suivantes : DT = C. Ch. Du Marsais, *Des Tropes, ou des différents sens dans lesquels on peut prendre un même mot dans une même langue*, Paris, 1730 ; nous citons l'édition de 1818 ; CR = P. Fontanier, *Les Tropes de Dumarsais, avec un commentaire raisonné...*, Paris, 1818 ; MC = P. Fontanier, *Manuel classique pour l'étude des tropes, ou Eléments de la science du sens des mots*, Paris, 1821 ; nous citons la quatrième édition, de 1830 ; FD = P. Fontanier, *Des figures du discours autres que les tropes*, Paris, 1827). Nous nous limiterons dans la présente étude à ces quelques ouvrages, les autres rhétoriques de l'époque n'étant, la plupart du temps (et de l'avis des contemporains) qu'un reflet de celles-ci et particulièrement de celle de Du Marsais.

Deux personnalités très différentes apparaissent derrière les pages de ces livres. Le texte de Du Marsais est riche en suggestions originales et inattendues, venant souvent en désordre, car leur auteur affiche un certain mépris pour toute classification. L'étendue de ses intérêts est surprenante : on trouve par exemple dans ce traité des remarques sur les aspects linguistiques de genres tels que le proverbe et l'énigme. A côté de lui, Fontanier fait plutôt figure de « mécaniste » : c'est un professeur consciencieux qui cherche avant tout à mettre en évidence ses principes de classification, qu'il suit à la lettre, sans trop se soucier de la valeur interne des phénomènes. Ainsi sa grande distinction à l'intérieur des tropes isole, dans un esprit purement taxinomique, les figures qui se réalisent à l'intérieur d'un mot de celles englobant plusieurs mots. La personnification, par exemple, se retrouve dans les figures formées de plusieurs mots (« la vertu se contente et vit à peu de frais ») alors que la métaphore reste dans les figures formées d'un seul (« Le temps est un grand consolateur »). Cette erreur est très caractéristique de l'esprit formel des écrits de Fontanier ; mais il ne faut pas croire que ce « taxinomiste » ignore tout de la dynamique du langage. Relisons par exemple ce passage où Fontanier, à la suite de la *Grammaire générale et raisonnée,* tranche la question de l'opposition entre syntagme verbal et attribut : « Par *verbe,* j'entends ici le seul verbe proprement dit, le verbe *être,* appelé *verbe abstrait* ou *verbe substantif* ; et non ces verbes improprement dits, les verbes *concrets,* qui sont formés par la combinaison du verbe *être* avec un participe *J'aime, je lis, je viens* pour *Je suis aimant, je suis lisant, je suis venant* » (MC, p. 30). Cet esprit transformationaliste a de quoi surprendre aujourd'hui !

Le *Commentaire* de Fontanier est autant un hommage à Du Marsais qu'une critique de son imprécision, critique qui porte parfois sur l'objet même de leur étude. Du Marsais voit le champ de la rhétorique de la même façon que les lexicologues actuels voient le leur : c'est « la connaissance des différents sens dans lesquels un même mot est employé dans une même langue » (DT, p. V). La polysémie — et aussi la synonymie — deviennent donc l'objet principal de son étude ; le seul sens qu'il ne veut pas considérer, c'est le « sens propre », c'est-à-dire le sens étymologique. Cette étude des tropes est inscrite avec raison à côté des autres sciences linguistiques : la syntaxe, les « préliminaires de la syntaxe » (= la morphologie), la « prosodie » (= la phonétique), etc. Cette étude relève pour Du Marsais de la grammaire : « ce traité me paraît être une partie essentielle de la Grammaire ; puisqu'il est du ressort de la Grammaire de faire entendre la véritable signification des mots, et en quel sens ils sont employés dans le discours » (DT, p. 22).

Fontanier croit découvrir dans ce programme une inconséquence logique : car « un même mot ne peut-il avoir d'autres *sens propres* que le sens primitif ? » (CR, p. 44). L'objet de la rhétorique est constitué pour lui par les sens figurés ; mais ceux-là sont beaucoup moins nombreux que ceux que Du Marsais étudiait comme non-étymologiques. Ainsi la rhétorique laisse place à une lexicologie qui s'occuperait des sens propres. Par là Fontanier pose un problème toujours actuel pour les sémanticiens : comment distinguer l'existence de deux sens particuliers de la simple influence du contexte sur un même sens ? Voici les critères de Fontanier : « un mot est pris dans un sens *propre*... toutes les fois que ce qu'il signifie n'est particulièrement et proprement signifié par aucun autre mot dont on eût pu, à la rigueur, se servir [critère repris récemment par Kurylowicz], toutes les fois, dis-je, que sa signification, primitive ou non, lui est tellement habituelle, tellement ordinaire, qu'on ne saurait la regarder comme de circonstance et de simple emprunt, mais qu'on peut, au contraire, la regarder comme en quelque sorte forcée et nécessaire » (CR, p. 44-45).

On pourrait résumer la discussion sur les limites de l'objet rhétorique de la façon suivante :

sens étymologique	sens dérivés	Du Marsais
sens propres	sens figurés	Fontanier

(la partie de droite correspond à l'objet de la rhétorique).

Ce par quoi on est surtout frappé, c'est que pour l'un aussi bien que pour l'autre il reste une partie du sens dont on n'a pas à s'occuper (à gauche dans notre tableau). Nous touchons là aux principes mêmes de la rhétorique.

II. LE LANGAGE FIGURÉ.

Pour qu'il y ait un langage figuré, il faut qu'il existe en face de lui un langage naturel. Le mythe du langage naturel nous fait comprendre les fondements de la rhétorique et, en même temps, les causes de sa mort. Les rhéteurs tout autant que les grammairiens de l'âge classique croient qu'il existe une façon simple et naturelle de parler qui ne demande pas de description — parce qu'elle va de soi. L'objet de la rhétorique, c'est ce qui s'écarte de cette façon simple de parler ; mais celle-ci n'est prise en charge par aucune autre réflexion. Ainsi toute la connaissance que nous apportent les rhéteurs est une connaissance relative à une inconnue.

Ce problème était présent à l'esprit des rhéteurs et nous verrons que Du Marsais est allé plus loin dans la tentative de saisir l'essence du langage figuré. Mais la conception courante est celle du langage figuré comme opposé au langage naturel, et Fontanier s'en est fait aussi le porte-parole : « Les figures... s'éloignent... de la manière simple, de la manière ordinaire et commune de parler, dans ce sens qu'on pourrait leur substituer quelque chose de plus ordinaire et de plus commun » (CR, p. 3-4).

On voit alors les raisons profondes du déclin rhétorique. Avec l'avénement du Romantisme, et plus tard, dans toute la culture moderne, on cesse de croire à l'existence d'une dichotomie « naturel-artificiel » à l'intérieur du discours. Tout est naturel ou tout est artificiel, mais il n'existe pas de degré zéro de l'écriture, il n'y a pas d'écriture innocente, le langage le plus neutre est aussi chargé de sens qu'une expression extravagante. On a privé ainsi la rhétorique de ses bases — et son effondrement n'en est qu'une conséquence logique.

Les contemporains de Fontanier pouvaient lui reprocher de déclarer presque toutes les manières de parler comme distinctes de l'insaisissable manière « simple et commune » : on se demande, en effet, à quoi pourrait ressembler ce discours-étalon « naturel » — incolore et mort (on peut s'en faire une idée en relisant les « traductions » en langage « simple » des figures dans les traités de rhétorique). Mais pour nous aujourd'hui l'avidité des rhéteurs est bienvenue : nous sommes prêts à leur pardonner cette foi dans le naturel pour nous avoir laissé la description d'un nombre si élevé de phe nomènes linguistiques. Et heureusement cette avidité est grande : de telle sorte que parfois nous nous demandons s'il s'agit seulement d'une manière simple de parler ou bien aussi de penser. « Ce qu'elle — Eriphile dans *Iphigénie* de Racine — eût pu dire en deux mots, elle le développe dans six vers » (CR, p. 221) : figure ! — La concision fait donc aussi partie de la manière simple de parler.

Avant de voir par quels critères les rhéteurs cherchaient à cerner l'opposition naturel-figuré, examinons la technique qu'ils employaient pour découvrir et délimiter une figure. Cette technique est bien connue des linguistes actuels sous le nom de commutation. En effet, le procédé de description des rhéteurs consiste à substituer à l'une des parties de la phrase une expression différente, de sorte que le sens de cette phrase reste invariant. Mais l'invariant n'étant pas fixé avec certitude, on peut parler de deux commutations différentes, l'une fondée sur le sens, l'autre sur la forme. Prenons par exemple la figure constituée par *voile*, pour *vaisseau* :

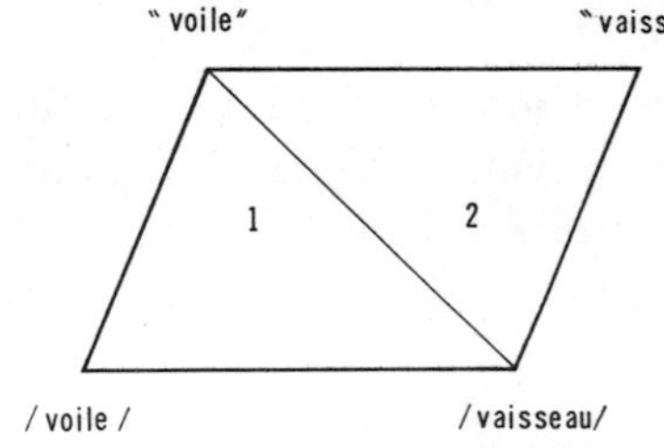

Il y a donc deux possibilités de commutation. Soit on garde comme invariant le mot *voile* et on mesure la distance entre ses deux sens, celui de *voile* et celui de *vaisseau* (le triangle 1) soit on garde comme invariant le sens (la chose) *vaisseau* et on compare les mots *voile* et *vaisseau* qui servent à le désigner (le triangle 2). Cette différence n'était pas clairement formulée par les rhéteurs et nous les voyons se servir des deux possibilités alternativement : ainsi pour les métaphores, on compare toujours les différents sens d'un mot (étude polysémique), alors que pour les métonymies et les synecdoques, on établit le rapport des deux termes et on cherche à les classer (étude synonymique). La première étude a toutefois un champ beaucoup moins étendu car elle ne se rapporte qu'aux figures qui comportent un changement de signification (les « tropes »), alors que la seconde reste valable pour toutes.

L'emploi exclusif de cette technique pour décrire les figures révèle un trait important de la réflexion linguistique à cette époque. Les rhéteurs ont une conscience paradigmatique du discours. A chaque instant du discours, il y a la possibilité d'un choix entre deux variantes au moins : l'expression figurée (marquée) et l'expression naturelle (non marquée). L'idée d'un ordre dans la contiguïté est absente. Ici encore Du Marsais dépasse la pensée rhétorique ordinaire ; à plusieurs reprises il déclare que la figure naît d'une combinaison nouvelle des mots, et non seulement d'un choix particulier : « ce n'est que par une nouvelle union des termes, que les mots se donnent le sens métaphorique » (DT, p. 161). Cette idée reste toutefois sans application dans les analyses concrètes qu'il fait.

Tournons-nous maintenant vers les essais des rhéteurs d'expliciter l'opposition langage naturel/langage figuré. Plusieurs interprétations ont été proposées :

1. Logique/alogique. Selon une conception très répandue, le langage naturel se caractérise par sa structure logique, tandis que le langage figuré serait une déviation vers l'alogique. Mais si, à la rigueur, on arrive à présenter les figures comme des expressions alogiques, on a beaucoup de mal à définir le caractère logique du discours commun. Ce serait par exemple une figure que de demander des choses qu'on a déjà ; une autre, « cette sorte d'amplification par laquelle on distingue et on accumule, dans une même phrase, plusieurs idées accessoires, tirées d'un même fond » (CR, p. 221). On voit le danger de la conception « logique » : on doit postuler comme logiques un trop grand nombre de réactions pour pouvoir présenter toutes les figures comme des écarts logiques ; pourquoi serait-il plus logique de donner peu de détails au lieu de beaucoup ? D'un autre côté, on risque ici de franchir les limites de ce qui est linguistique pour entrer dans le champ général du comportement.

Ce danger disparaît lorsque la figure en question est constituée par une construction syntaxique. Dans ce cas, la forme logique recherchée se rapproche de ce qu'on appelle aujourd'hui des « propositions nucléaires » ou « atomiques ». Ainsi Fontanier voit une figure dans le dialogue suivant :

« Que voulez-vous qu'il fît contre trois ?

— Qu'il mourût ! »

« Qu'il mourût » n'est pas une manière logique de parler ; la forme de base sera, selon Fontanier, « ce que je voulais, c'est qu'il mourût ». Cette conscience de la dynamique du langage est cependant compromise par le peu de vérification linguistique à laquelle sont soumises les formes apparentées ; ainsi Du Marsais déclare la forme « vivre de son travail » comme dérivée de la forme de base « vivre par le moyen de son travail ».

Les rapports des rhéteurs avec la logique ne se limitent pas à ce rapprochement plutôt vague. Le but de la description rhétorique est non seulement de classer des exemples mais aussi d'en donner une explication, plus précisément, d'ériger chaque classe d'exemples au rang de modèle. Des distinctions telles que contenant-contenu, partie-tout, etc. à l'intérieur de la métonymie, par exemple, doivent servir non seulement à grouper les figures déjà existantes mais aussi à indiquer les moyens à l'aide desquels on peut en créer des nouvelles. Toutefois les rhéteurs se rendent compte que leurs constructions n'autorisent pas nécessairement la création de telle ou telle figure et que tout dépend, en dernière analyse, de cette force spontanée et incontrôlable qu'est l'usage. Dans la déclaration suivante de Du Marsais transparaît bien la conscience du sort tragique du rhéteur déchiré entre la logique de la description et l'insaisissable « génie de la langue » : « Il ne faut pas croire qu'il soit permis de prendre indifféremment un nom pour un autre, soit par métonymie, soit par synecdoque : il faut, encore un coup, que les expressions figurées soient autorisées par l'usage... Si l'on disait qu'une armée navale était composée de cents *mâts* ou de cent *avirons* au lieu de dire cent *voiles* pour cent vaisseaux, on se rendrait ridicule : chaque partie ne se prend pas pour le tout, et chaque nom générique ne se prend pas pour une espèce particulière, ni, tout nom d'espèce pour le genre ; c'est l'usage seul qui donne à son gré ce privilège à un mot plutôt qu'à un autre » (DT, p. 127).

2. Fréquent/peu fréquent. On ne sera pas surpris de découvrir chez les rhéteurs une seconde interprétation qui est aussi celle des stylisticiens actuels. Dans ce cas, on attribue aux expressions du langage « naturel » une grande fréquence, alors que les figures auraient une fréquence inférieure. C'est ainsi qu'on peut interpréter la « manière commune et ordinaire » de Fontanier, qui déclare aussi : « On pourrait prouver par mille exemples que les figures les plus hardies dans le principe cessent d'être regardées comme figures lorsqu'elles sont devenues tout à fait communes et usuelles » (CR, p. 5-6).

Mais la fragilité de ce critère n'échappe pas non plus à l'attention des rhéteurs : toutes les expressions rares ne sont pas des figures, et les figures ne sont pas toujours rares. C'est Du Marsais qui attaque violemment cette conception courante : « bien loin que les figures s'éloignent du langage ordinaire des hommes, ce seraient au contraire les façons de parler sans Figures qui s'en éloigneraient, s'il était possible de faire un discours où il n'y eût que des expressions non-figurées » (DT, p. 3).

Pour conserver le principe de fréquence, Fontanier modifie plus tard la fréquence absolue en fréquence relative : ce n'est pas que la figure ne soit pas une expression commune, mais elle doit être moins commune qu'une autre expression du même sens « les figures quelque communes qu'elles soient et quelque familières que les aient rendues l'habitude ne peuvent mériter et conserver leur titre de *figures* qu'autant qu'elles sont d'un usage libre, et qu'elles ne sont pas en quelque sorte imposées par la langue » (MC, p. 56).

Il est inutile de rappeler l'actualité de cette discussion pour les études stylistiques et sémantiques.

3. Indescriptible/descriptible. Mais si ces deux premiers couples de catégories se révèlent non-pertinents pour la description, comment arrivons-nous à découvrir les figures rhétoriques ? Du Marsais nous donne ici une réponse qui mérite l'attention et qui

n'a pas été retenue par les autres rhéteurs. Pour lui, nous l'avons vu, la figure est tout aussi commune que les autres expressions, et tout aussi « normale » ; mais ce qui la distingue du reste du discours, c'est que nous pouvons la décrire, alors que le discours naturel reste indescriptible. Voici comment il s'explique :

« Les manières de parler dans lesquels ils [les grammairiens et les rhéteurs] n'ont remarqué d'autre propriété que celle de faire connaître ce qu'on pense, sont appelées simplement *phrases, expressions, périodes* ; mais celles qui expriment non seulement des pensées, mais encore des pensées énoncées d'une manière particulière qui leur donne un caractère propre, celles-là, dis-je, sont appelées *figures* » (DT, p. 9).

Le discours qui nous fait simplement connaître la pensée est invisible et il est donc impossible de le décrire. Car, n'oublions pas, la pensée relève du « naturel », par conséquent elle va de soi, et le rhéteur n'a rien à dire là-dessus. Le discours sans figures est un discours entièrement transparent et, par là-même, inexistant. C'est alors qu'apparaît la figure, dessin apposé sur cette transparence, dessin qui nous permet pour la première fois de saisir le discours en lui-même et non seulement en tant que médiateur de la signification. Le « caractère propre » du discours, qu'on appelle aujourd'hui sa fonction poétique, le rend opaque, tel un habit sur un corps invisible, et nous permet de le voir pour la première fois. L'existence des figures équivaut à l'existence du discours ; c'est là leur trait distinctif et leur justification.

On peut conclure, à partir de ces remarques, qu'il existe deux pôles dans la conscience humaine du langage : le discours transparent et le discours opaque. Le discours transparent serait celui qui laisse visible la signification mais qui est lui-même imperceptible : ce serait là un langage qui ne sert qu'à « se faire entendre ». En face de lui, il y a le discours opaque qui est si bien couvert de « dessins » et de « figures » qu'il ne laisse rien entrevoir derrière ; ce serait un langage qui ne renvoie à aucune réalité, qui se satisfait en lui-même. Tous les énoncés linguistiques se situeraient dans l'espace entre ces deux pôles, se rapprochant plus ou moins de l'un ou de l'autre.

On voit surgir ici une nouvelle fonction de la rhétorique : c'est de nous faire prendre conscience de l'existence du discours. Le langage qui ne sert qu'à transmettre autre chose n'existe pas car il s'oblitère dans la communication. Ce n'est donc pas un hasard si les sophistes grecs ont en même temps découvert l'existence du discours et la rhétorique : celle-ci est destinée à nous décrire l'aspect perceptible du discours humain. On comprend maintenant les intonations solennelles dans le propos de Du Marsais lorsqu'il nous parle des figures : « Il y a eu des tropes dans la langue des Chaldéens, dans celle des Egyptiens, dans celle des Grecs et dans celle des Latins : on en fait usage aujourd'hui parmi les peuples mêmes les plus barbares, parce qu'en un mot ces peuples sont des hommes... » (DT, p. 258). L'emploi des figures s'élève au rang de trait distinctif de l'humanité parce qu'il équivaut à la conscience qu'a l'homme de l'existence de son discours.

4. Neutre/valorisé défectueux. Le critère de descriptibilité que nous venons de discuter s'applique à toutes les figures rhétoriques, sans pouvoir limiter leur nombre : est figure ce qui a été institutionalisé comme figure. Mais cette caractéristique ne nous donne pas une image suffisamment claire de l'essence des figures, et nous devons examiner un dernier critère proposé.

Un des traits les plus répandus de la réflexion rhétorique est qu'elle confond souvent le descriptif avec le prescriptif. A partir de cette confusion, on déclare pour figure ce qui apporte des avantages, des qualités positives au discours. Il y a même des figures qui sont définies comme des manières de rendre les choses visibles, concrètes (l'hypotypose) ou comme un accord de l'expression avec la pensée (l'harmonisme) (FD, p. 185), sans qu'on nous décrive la base linguistique de la figure.

On n'aurait pas à s'arrêter sur ce critère s'il ne faisait pas ressortir un autre, qui a attiré l'attention des linguistes à l'époque actuelle. Dans tout traité de rhétorique, après les chapitres qui louent les qualités du langage figuré vient un chapitre consacré à l'abus des tropes ; là on signale le danger qu'il y a à mal employer les tropes : ils risquent d'enlaidir notre discours et non de l'embellir.

Pourquoi les figures se révèlent-elles comme des armes à double tranchant, qui agissent pour le mal si elles n'agissent pas pour le bien ? La figure et le défaut se trouvent donc du même côté de la dichotomie en s'opposant à l'expression correcte, normative. La facilité du passage entre figure et incorrection est bien sentie par Fontanier qui écrit : « Il est aisé de voir par tous ces exemples dans quels cas l'*inversion* est *figure*. C'est lorsqu'elle contribue à l'énergie, à la beauté, au charme de l'expression... Dans quels cas, au contraire, est-elle un défaut ? Dans tous ceux où elle ne produit aucun des effets ci-dessus » (FD, p. 26). La figure est une incorrection linguistique mais elle n'est sentie comme telle que lorsqu'elle n'a pas de justification esthétique. Il existe même une figure particulière dont la fonction est de neutraliser le caractère incorrect des autres : c'est le *correctif*, c'est-à-dire des expressions comme « pour ainsi dire », « si l'on peut parler ainsi », etc. (DT, p. 149).

On pourra dans ce cas décrire chaque figure comme la transgression d'une règle particulière du langage, règle qui souvent n'aura pas été enregistrée par les manuels linguistiques. Ici s'ouvre une voie inattendue pour l'étude du langage ; c'est dans ce sens qu'est allé Jean Cohen en interprétant les figures rhétoriques, dans son livre *Structure du langage poétique* (Paris, 1966). Le champ de ces infractions est situé entre ce qui est *agrammatical* et ce qui est *inacceptable* dans une langue. Fontanier le définit déjà ainsi : « Le génie de la langue... permet quelquefois de s'écarter de l'usage ordinaire, ou, pour mieux dire, permet et avoue un usage qui n'est pas l'usage commun et habituel ; et, s'il n'autorise jamais un désordre réel, il peut autoriser du moins un certain changement d'ordre, et un ordre, un arrangement nouveau et tout particulier... » (FD, p. 19).

Nous disposons donc là d'un critère beaucoup plus solide et précis que les précédents ; grâce à lui nous pourrons nous approcher de l'idéal rêvé des rhéteurs qui voulaient élever au rang de modèle chaque figure rhétorique. Nous nous apercevrons toutefois que nous ne pourrons pas l'utiliser à chaque fois car certains aspects du discours ne sont pas régis pour des règles.

Une dernière question sur le statut du langage figuré serait :

quel est l'effet sémantique de la figure ? Cette question est particulièrement intéressante en ce qui concerne les figures tropes, c'est-à-dire celles qui évoquent dans la conscience un autre sens du mot que celui qu'il a dans la phrase. Si je dis *voile* au lieu de *vaisseau*, quel rapport s'établit entre les deux sens de *voile* ? Les rhéteurs ont parfois eu tendance à croire à une substitution simple et complète (le premier sens de *voile* serait entièrement effacé) ; mais dans leur analyse des tropes défectueux ils exigeaient une harmonie non seulement au niveau des sens figurés mais aussi à celui des sens propres.

« A ce cœur qu'il vous laisse, osez prêter un bras. »

« Quoi de plus absurde, s'exclame Fontanier, qu'un bras prêté à un cœur ? » (MC, p. 240). Mais l'absurde est au niveau des sens propres, alors que les mots sont pris ici au figuré. C'est pourquoi Fontanier donne une formule plus prudente : « le mot employé par trope avait déjà auparavant une signification propre et... il peut la conserver encore avec la nouvelle qu'on lui fait prendre » (CR, p. 40). Il faut avouer cependant que la sémantique actuelle ne dispose pas encore d'un moyen précis pour décrire ce phénomène qui serait plutôt une assimilation de sens qu'une substitution (sans parler de la connotation « Littérature » qui surgit en même temps).

III. ESSAI DE CLASSIFICATION.

Tout nouveau rhéteur se sent obligé de proposer une nouvelle classification des figures rhétoriques. Les rhéteurs sont littéralement obsédés par le besoin de classer et de reclasser. Ils nous ont laissé de multiples tentatives qui ne peuvent que surprendre aujourd'hui, car leurs principes de classement ne nous convainquent plus : ces phénomènes linguistiques étaient la plupart du temps jugés à partir de principes non-linguistiques.

Les anciennes classifications sont mauvaises. Mais peut-être est-il inutile de classer ? Tout dépend du rôle que nous attribuons à la classification. Dans la mesure où classer veut dire faire ressortir les traits pertinents d'un phénomène en le rapprochant avec d'autres ou en l'y opposant, nous n'avons aucune raison de maudire les classifications. Dans la mesure où classer veut dire imposer une image statique des phénomènes et les croire suffisamment connus à partir d'une telle distribution en classes, on peut craindre les effets de l'esprit taxinomique. Nous ne nous priverons donc pas d'une nouvelle classification des figures rhétoriques, en prenant « classer » dans un sens proche de « connaître ».

Nous avons indiqué dans la partie précédente deux critères qui nous permettent d'identifier les figures. Le premier était celui de la descriptibilité : une expression devient figure à partir du moment où nous savons comment la décrire. Il est évident que ces figures constituent une classe ouverte où nous ajouterons toute forme linguistique dès que nous l'aurons décrite. Nous nous limiterons toutefois ici à celles qui ont été relevées par les rhéteurs classiques.

Ce critère concerne toutes les figures existantes ; on peut l'appeler le critère faible.

Nous avons vu d'autre part qu'un grand nombre de figures se laissent décrire comme une déviation à une certaine règle du langage, explicite ou implicite. Ce critère ne s'applique cependant qu'à une partie des figures ; on l'appellera dorénavant le critère fort.

Il y a donc deux groupes de tropes : ceux qui présentent une anomalie linguistique et ceux qui n'en contiennent aucune. Nous appellerons le premier groupe les *anomalies*, le second, les *figures* (au sens restreint du mot) ; le premier groupe est évidemment une sous-classe du second.

Examinons d'abord les anomalies. Comme nous l'avons dit, nous opposerons chaque anomalie non à l'« expression propre » mais à la règle linguistique enfreinte. Suivant le caractère de cette règle, nous distinguerons quatre groupes d'anomalies qui relèvent des domaines suivants : le rapport son-sens ; la syntaxe ; la sémantique ; le rapport signe-référent.

1. SON-SENS. On peut distinguer ici deux sous-classes : les infractions aux règles de dérivation morphophonémiques, propres à une langue (les *figures de diction*) ; et les infractions au principe de parallélisme entre son et sens. On pourrait formuler ce principe ainsi : les sons différents correspondent à des sens différents, les sons semblables correspondent à des sens semblables. L'*allitération*, la *paronomase* et l'*assonance* (de même que la *rime*) sont des infractions à ce principe car il y a rapprochement de sons sans qu'il y ait rapprochement des sens.

Il est évident que les principes ou règles que nous aurons à établir ne doivent pas nécessairement figurer dans une théorie linguistique quelconque. Ils se trouvent dans la conscience que les sujets parlants ont de leur langue ; ce qui leur fait percevoir comme des anomalies les figures énumérées.

2. SYNTAXE. La théorie syntaxique a retenu les noms de certaines figures pour désigner quelques constructions particulières. Ainsi l'*ellipse* (omission d'une partie de la phrase) avec des variantes telles que la *réticence* (phrase inachevée). Ainsi l'*inversion*, à propos de laquelle Fontanier lui-même essaie de rétablir les règles enfreintes : « L'inversion... a lieu : 1° toutes les fois que le sujet se trouve énoncé après ses modificatifs, ou après le verbe qu'il tient sous sa loi ; 2° lorsque le régime précède le mot auquel il se rapporte ; 3° lorsque le complément de ce régime se trouve précéder ou ce régime seul ou tout à la fois ce régime et son régisseur » (FD, p. 20). Ainsi

l'ambiguïté qui a été l'objet d'une grande attention ces dernières années et que les rhéteurs avaient baptisés *sens louche* (p. ex. « Le physicien arrache tous *ses* secrets à la nature »). Le sens du mot « ambiguïté » indique à lui seul la règle transgressée : toute phrase ou partie de phrase doit avoir un seul sens.

Un autre groupe d'anomalies syntaxiques est composé par divers cas de manque d'accord ou d'accord imparfait. Les figures les plus connues ici sont le *zeugma* (que nous avons discuté dans l'article intitulé « Les anomalies sémantiques », *Langages*, 1, 1966) et la *syllepse*. Cette dernière consiste, selon Fontanier, « à prendre un même mot tout à la fois dans deux sens différents... » (MC, p. 107) ; il en résulte un accord incorrect, p. ex. « Je souffre... brûlé de plus de *feux* que je n'en allumai. »

3. SÉMANTIQUE. Plusieurs groupes peuvent être distingués ici Le premier serait formé par ce que nous avons appelé (art. cité) « les anomalies combinatoires » ; elles recouvrent une grande partie des *métaphores*, *métonymies* et *synecdoques* traditionnelles. La règle enfreinte ici est la suivante : pour que deux mots puissent se combiner en une expression, ils doivent posséder chacun une même partie de sens. Les essais que les rhéteurs ont fait pour classer ces « parties de sens » sont les premières analyses componentielles à une grande échelle ; ainsi ont été établies des oppositions binaires de sèmes, telles que abstrait/concret, animé/inanimé, humain/animal, matière/produit, objet moral/physique, objet naturel/artificiel, etc. Ici se rapportent également des figures comme la *personnification*, la *prosopopée* (fondée sur l'omission des sèmes « Humain & Présent »), la *fabulation*, qui sont toutes des métaphores prolongées, et l'*hypallage*, deux infractions complémentaires à l'intérieur d'une phrase.

Un deuxième groupe serait formé par les ambiguïtés ; son principe est annoncé par Fontanier : « Les mots n'ont pu signifier, chacun, dans le principe, qu'une seule chose » (CR, p. 382). On trouve ici le *sens équivoque* qui est une ambiguïté simple, et l'*antanaclase* qui a lieu lorsqu'on prend un mot dans deux sens différents à l'intérieur d'un énoncé. Du Marsais a formulé la règle enfreinte : « Dans la suite d'un raisonnement, on doit toujours prendre un mot dans le même sens qu'on l'a pris d'abord, autrement on ne raisonnerait pas juste » (DT, p. 282). Au même groupe doivent être rapportées l'*allusion* (évocation d'un autre sens des mots), la *mimèse* (évocation du style d'une autre œuvre) et l'*allégorie*, ambiguïté au niveau de l'énoncé qui a deux interprétations cohérentes.

Un troisième groupe sera constitué par les figures qui se rapprochent des tautologies. La règle transgressée est une exigence de non-redondance sémantique. On rapportera ici certaines *répétitions* tautologiques, le *pléonasme*, la *métabole* (accumulation de synonymes) et l'*épithète* (qui, comme l'a montré J. Cohen, est toujours redondant).

Enfin le dernier groupe d'anomalies sémantiques se rapproche de la classe des contradictions ; la règle est à nouveau contenue dans le nom même de l'infraction : c'est une exigence de non-contradiction. La figure rhétorique correspondante est le *paradoxisme*, p. ex. « Pour *réparer* des ans l'*irréparable* outrage... » Il est à noter ici que les contradictions exigent une identité du temps verbal dans les deux termes opposés. « Les aveugles voient » ne serait pas une contradiction pour Fontanier car c'est une ellipse de « Ceux qui *étaient* aveugles, *voient* ». On peut rapporter ici également l'*enthymémisme*, syllogisme dénué d'une de ses prémisses.

4. SIGNE-RÉFÉRENT. C'est en pensant à ce groupe de figures qu'on a pu caractériser le langage figuré comme un langage feint, faux, dénué de sincérité : en effet, ici on évite d'appeler la chose dont on parle par son nom bien qu'elle en ait un. Suivant les rapports des deux noms, on peut à nouveau établir des sous-classes. Le nom substitué peut être le contraire du nom de l'objet : ainsi l'*ironie* avec ses multiples nuances, la *concession* (on fait semblant d'accorder quelque chose à son adversaire), la *délibération* (on fait semblant d'hésiter sur sa décision). Une figure plus particulière qui se rapporte ici est la *prétérition* par laquelle on déclare ne pas faire ce qu'on est en train de faire, p. ex. :

> « Je ne vous peindrai point le tumulte et les cris,
> Le sang de tous côtés ruisselant dans Paris,
> Le fils assassiné sur le corps de son père... », etc.

Cette figure apparaît uniquement dans les phrases performatives : c'est une négation de la partie performative ou une interrogation sur elle, alors que la partie constative reste intacte. En d'autres mots, c'est une contradiction entre le sens de l'acte d'énonciation déclaré et celui de l'acte d'énonciation implicite.

Un deuxième groupe serait formé par des mots qui présentent une différence quantitative avec le terme propre : ce sont l'*hyperbole* (plus) et la *litote* (moins). Notons que la litote représente en même temps une mise en évidence de la différence entre la négation grammaticale et la négation lexicale qui est l'opposition. On pourrait formaliser cette figure de la façon suivante : si A et B sont deux antonymes (deux mots formant une opposition), on remplace A par non-B, p. ex. « Pythagore n'est pas un auteur méprisable » pour « il est un auteur estimable ».

Un troisième groupe réunit les cas d'un manque de correspondance entre la forme grammaticale utilisée et celle qui serait exigée par le référent : ainsi l'*énallage* (emploi du présent au lieu d'un autre temps) ; ainsi l'*association* (emploi d'une personne du verbe inadéquate, p. ex. le professeur demandant aux enfants : « Qu'est-ce que nous avons fait aujourd'hui ? »). Cette figure peut trouver, comme l'a noté Michel Butor, une utilisation curieuse en littérature.

Ici se rapporte également l'*interrogation*, qui devient figure à partir du moment où il n'y a pas lieu de s'interroger. Comme l'a bien remarqué Fontanier, « avec la négation elle affirme ; ... sans négation elle nie » (FD, p. 157), p. ex. :

> « Celui qui fit vos yeux ne verra point de crimes ?...
> Que peuvent contre Dieu tous les rois de la terre ?... »

Le dernier groupe de cette classe de figures ne se caractérise par aucun rapport particulier entre le terme absent et le terme présent ; la plupart du temps il s'agit d'une propriété de l'objet à la place de l'objet lui-même. On rapporte ici la *périphrase*, l'*antonomase*, la *pronomination*, ainsi qu'une partie des *métonymies*, *synecdoques* et *métaphores*.

Nous pouvons passer maintenant au deuxième grand type d'expressions figurées, aux *figures* proprement dites. Dans ce cas, la figure ne s'oppose pas à une règle mais à un discours qu'on ne sait pas décrire. Nous retrouverons les mêmes quatre classes que pour les anomalies.

1. SON-SENS. Il y a ici de nouveau un rapprochement de mots semblables phoniquement mais, à l'inverse des paronomases et des antanaclases, une proximité de sens l'accompagne. Nous distinguerons les *répétitions* non-tautologiques, la *réversion* (« Il ne faut pas vivre pour manger, mais il faut manger pour vivre »), le *polyptote* (plusieurs formes d'un même mot, p. ex. « O vanité des vanités, et tout n'est que vanité ! »), et la *dérivation*, qui « consiste à employer dans une même phrase ou dans une même période plusieurs mots dérivés de la même origine » (FD, p. 130), p. ex. « Car c'est double plaisir de tromper le trompeur ! »

2. SYNTAXE. La syntaxe ayant répertorié la plupart des constructions possibles, nous y trouverons ce qui était considéré naguère comme des figures rhétoriques : ainsi l'*apposition* ; l'*apostrophe* ; l'*incidence* avec ses nombreuses formes (*parenthèse, épiphonème, interruption, suspension,* etc.) ; l'*exclamation* ; la *conjonction*, la *disjonction* et l'*adjonction* qui sont différentes formes de la subordination. Notons également le *dialogisme*, style direct que Fontanier considère comme dérivé du style indirect, et la *subjection*, interrogation non-englobée dans une phrase complexe : « Voulez-vous du public mériter les amours ? Sans cesse en écrivant variez vos discours... » serait dérivé de « Si vous voulez,... », etc.

3. SÉMANTIQUE. En revanche la sémantique est encore loin d'avoir répertorié les différents types d'énoncés ; c'est pourquoi nous pouvons nous arrêter plus longuement sur les propositions venant de la rhétorique. On y distingue la *rétroaction*, discussion d'un sujet déjà discuté ; la *gradation* qui « consiste à présenter une suite d'idées ou de sentiments dans un ordre tel que ce qui suit dise toujours ou un peu plus ou un peu moins que ce qui précède » (FD, p. 101) ; la *correction* (« L'héritier... ose applaudir, que dis-je ? ose appuyer l'erreur... ») ; la *comparaison*, rapprochement de deux phénomènes distincts ; l'*antithèse*, disposition parallèle d'antonymes ; l'*expolition*, une synonymie prolongée ; l'*occupation* qui

« consiste à prévenir ou à rejeter d'avance une objection que l'on pourrait essuyer » (FD, p. 220 ; on reconnaît ici une figure dont M. Bakhtin a montré l'importance pour l'œuvre de Dostoïevski : il s'agit d'un dialogue dissimulé dans le monologue). Il y a enfin la *sustentation* qui est caractérisée par Fontanier comme une figure qui « consiste à tenir longtemps le lecteur ou l'auditeur en suspens, et à le surprendre ensuite par quelque chose qu'il était loin d'attendre » (FD, p. 230), figure qui est transposée dans le roman policier classique. L'étude ultérieure de ces figures comme d'ailleurs de beaucoup de celles énumérées auparavant, pourra permettre d'amorcer une analyse linguistique de l'énoncé.

4. SIGNE-RÉFÉRENT. La seule figure de ce genre répertoriée par Fontanier est la *description* avec ses multiples subdivisions : la *topographie,* description de lieu, la *chronographie,* description du temps, la *prosopographie,* description de l'aspect extérieur, l'*éthiopée,* description morale, des mœurs, le *portrait,* union des deux précédentes, le *parallèle,* comparaison au niveau de l'énoncé, le *tableau,* description d'événements et phénomènes. On voit bien ici qu'il n'y a d'infraction à aucune règle ; on arrive simplement à décrire une des relations possibles entre le signe et le référent, alors que les autres restent indescriptibles.

Nous terminons ainsi cette classification sommaire des expressions figurées. Les figures que nous n'avons pas mentionnées peuvent facilement trouver place dans une des rubriques indiquées. Certaines figures, il est vrai, pourraient être inscrites à droits égaux dans plusieurs rubriques mais ceci s'explique par l'interpénétration des phénomènes linguistiques.

Le tableau qui suit résume cet essai de classification.

	SON-SENS	SYNTAXE	SÉMANTIQUE	SIGNE-RÉFÉRENT
ANOMALIES	figures de diction (*dérivation incorrecte*) allitération paronomase assonance (*ressemblance phonique*)	ellipse réticence abruption (*ellipses*) sens louche (*ambiguïté*) inversion zeugme syllepse (*manque d'accord*)	métaphore métonymie synecdoque hypallage personification prosopopée fabulation (*combinatoires*) antanaclase sens équivoque allégorie allusion mimèse (*ambiguïtés*) pléonasme épithète métabole répétition (*tautologies*) paradoxysme enthymémisme (*contradictions*)	ironie antiphrase concession délibération prétérition (*contraires*) litote hyperbole (*plus-moins*) interrogation association énallage (*syntaxe*) antonomase périphrase pronomination mélonymie synecdoque métaphore (*autres*)
FIGURES	répétition réversion polyptote dérivation	apposition apostrophe incidence dialogisme subjection exclamation conjonction adjonction disjonction	rétroaction gradation correction comparaison antithèse expolition sustentation occupation	*description* : topographie chronographie prosopographie éthiopée portrait parallèle tableau

IV. LANGAGE FIGURÉ ET LANGAGE POÉTIQUE.

Le langage figuré est-il identique au langage poétique ? Sinon, quels sont leurs rapports ?

On peut dire que, en général, les rhéteurs ont donné une réponse négative à la première question. Deux raisons les y amènent. D'une part, l'expérience leur a prouvé qu'il existe une poésie sans figures, ainsi qu'un langage figuré en dehors de la poésie. Nous avons déjà vu que Du Marsais insistait sur la grande extension des figures dans le langage populaire ; c'est lui encore qui insiste sur la beauté de la poésie sans figures. D'autre part, il y a une différence dans la hiérarchie des deux notions : le langage figuré est une sorte de stock potentiel à l'intérieur du langage, alors que le langage poétique est déjà une construction, une utilisation de ce matériau brut. « Les *figures du Discours* n'appartiennent-elles pas à tous les genres d'écrire ? n'appartiennent-elles pas à la poésie comme à l'éloquence, et au style le plus commun comme au style le plus élevé ? s'exclame Fontanier. — Ce n'est pas cependant, que, soit la Rhétorique, soit la Poétique, ne puissent bien encore s'occuper de ces sortes de figures ; mais elles ne doivent s'en occuper que sous un seul rapport, que sous le rapport de l'usage » (DT, p. XIV-XV).

La seconde question n'a pas reçu à l'âge classique une réponse réfléchie. Les rhéteurs se sont plutôt intéressés aux rapports entre les tropes et les autres aspects d'un texte littéraire, dans lequel ils sont inclus. Plusieurs suggestions sont à retenir ici. Un grammairien de l'époque, l'abbé Radonvilliers, a proposé une division de base entre les tropes d'usage, ou tropes de la langue, et les tropes d'invention, ou tropes de l'écrivain. Les premiers feraient partie du vocabulaire commun ; les seconds seraient, seuls, une invention personnelle. Fontanier voit aussi cette limite très nettement et ne conseille pas l'emploi courant des tropes d'invention : « Ils restent toujours une sorte de propriété particulière, la propriété particulière de leur auteur : on ne peut donc pas s'en servir comme de son bien propre, ou comme d'un bien commun à tous » (MC, p. 237). Il est évident toutefois qu'il n'y a pas lieu de parler de deux langages figurés séparés, l'un poétique, l'autre, commun.

Les tropes inventés ou empruntés au langage commun sont introduits dans l'œuvre qui est une construction hautement spécifiée. En d'autres mots, plusieurs aspects du langage littéraire étant codés, on ne peut pas utiliser indifféremment une quelconque figure dans tout texte. Différentes répartitions doivent être suivies. Tout d'abord, il y a les styles : bas, moyen, élevé ; chacun a une prédilection pour certaines figures et une répugnance pour d'autres. Ensuite il y a les genres : la prose et la poésie (« On ne dirait pas en prose qu'*une lyre enfante les sons*. Cette observation a lieu aussi à l'égard des autres tropes », nous prévient Du Marsais, DT, p. 172) ; puis les grands genres de l'époque classique (Fontanier conseille une gradation ascendante pour les genres suivants : comédie, tragédie, épopée, ode) ; enfin, il y a les plus petites délimitations des genres, déterminées par le sujet : « Les figures qui plaisent dans un épithalame, déplaisent dans une oraison funèbre » (DT, p. 152). On en vient ainsi à la correspondance entre le sujet traité et les moyens lexicaux utilisés, entièrement codée par la rhétorique : « Mais ce n'est pas seulement pour les idées les plus sublimes, que souvent on néglige les tropes : on les néglige aussi pour ces affections pénibles qui accablent l'âme et l'étouffent comme sous leur poids », etc. (MC, p. 220-221).

Cette réponse, quelque utile qu'elle soit pour l'étude des textes littéraires de l'époque, n'explique pas pourquoi le langage figuré apparaît le plus souvent, bien que non exclusivement en poésie, et plus généralement, en littérature ; ni en quoi langage littéraire et langage figuré se ressemblent et se distinguent. Essayons, en guise de conclusion, de cerner de plus près ce problème.

La seule qualité commune à toutes les figures rhétoriques est, comme l'a montré l'analyse précédente, leur opacité, c'est-à-dire leur tendance à nous faire percevoir le discours lui-même et non seulement sa signification. Le langage figuré est un langage qui tend vers l'opacité ou, en bref, un langage opaque. Mais alors une contradiction semble se dessiner : d'une part, la fonction du langage figuré est de rendre présent le discours lui-même ; de l'autre, nous savons que le langage littéraire est destiné à nous rendre présents les choses décrites et non le discours lui-même. Comment se fait-il alors que le langage figuré soit le matériau préféré de la poésie ?

Pour dépasser cette contradiction, nous devons expliciter davantage les notions de discours transparent et opaque, et de langage poétique. Le discours transparent idéal, s'il existait, n'impliquerait pas la présence maximum des choses dont on parle, mais au contraire leur absence totale. Le mot ne sert pas à sauvegarder les choses mais à les détruire : en prononçant un mot, nous remplaçons la présence réelle de l'objet par un concept abstrait. Le discours opaque lutte contre le sens abstrait pour imposer la présence quasi physique des mots.

Quel est le statut du langage littéraire ? Sa caractéristique la plus marquante est que les « choses » n'existent pas, les mots n'ont pas de référent (dénotatum) mais uniquement une référence qui est imaginaire. Dans le langage commun, il y a une seule référence qui est aussi bien celle de l'acte d'énonciation que celle de l'énoncé. Dans le langage poétique, ces deux références sont isolées et le lecteur doit suppléer de lui-même la seconde. Comment réagit-il à cette situation ? Maurice Blanchot a bien décrit cette réaction dans son essai « Le langage de la fiction » (*La Part du feu*, Paris, 1949) : pour le lecteur de la littérature, « le sens des mots souffre d'un manque primordial et, au lieu de repousser toute référence concrète à ce qu'il désigne, comme dans les relations habituelles, il tend à demander une vérification, à susciter un objet ou un savoir précis qui en confirme le contenu » (p. 82). Ce « manque primordial » est l'absence de référent ; la réaction est une évocation d'autant plus forte de la référence imaginaire, au détriment, à nouveau, du sens abstrait des mots : ce sens abstrait qui règne dans le langage commun où la présence de référent nous dispense de tout effort pour le rendre présent.

Résumons : le langage figuré s'oppose au langage transparent pour imposer la présence des mots ; le langage littéraire s'oppose au langage commun pour imposer la présence des choses. L'existence d'un adversaire commun explique leur affinité et, en même temps, la possibilité qu'ils ont de se passer l'un de l'autre. La littérature utilise les figures rhétoriques comme une arme dans son antagonisme avec le sens pur, avec la signification abstraite qu'ont pris les mots dans la parole quotidienne. Cette collaboration se réalise différemment en prose et en poésie ; mais, d'une façon générale, le langage littéraire ne se confond pas avec le langage figuré. Ils peuvent même, dans un cas extrême, se trouver opposés l'un à l'autre : ce n'est pas une victoire de la littérature si nous percevons la description et non ce qui est décrit. Cette relation dialectique s'inscrit dans l'ensemble complexe des rapports qu'entretient la littérature avec le langage.

TABLE DES MATIÈRES

linguistique - langue française - langage LAROUSSE

collection "lexicologie" chaque volume broché 17 × 25 cm.

J. Dubois
(Faculté de Paris)

LE VOCABULAIRE POLITIQUE ET SOCIAL EN FRANCE DE 1869 A 1872

Définition d'une méthode en lexicologie structurale par l'étude du vocabulaire politique et social à la fin de l'Empire libéral et au cours des premières années de la IIIe République (en particulier de la Commune de Paris). Chapitre I : Classe et parti, les rapports fondamentaux entre le vocabulaire politique et social et les structures de la Société ; ch. II : Unité fondamentale du vocabulaire politique, économique et social ; ch. III : Modifications structurales et affectives ; ch. IV : Diversité historique et sociale du vocabulaire ; ch. V : Structure morphologique. La conclusion définit la double structure du lexique et le mouvement général du vocabulaire politique. 460 pages.

J. Dubois

ÉTUDE SUR LA DÉRIVATION SUFFIXALE EN FRANÇAIS MODERNE ET CONTEMPORAIN

Étude des suffixes dans le français actuel. En comparant les entrées et les sorties dans le "Petit Larousse", l'auteur détermine les mouvements que l'on observe dans les suffixations et donne les lignes générales de l'évolution ; les causes linguistiques et les conditions historiques des disparitions ou des régressions (tableau général des suffixes en français, index et bibliographie). 118 pages.

L. Guilbert
(Faculté de Rouen)

LA FORMATION DU VOCABULAIRE DE L'AVIATION

L'auteur fait l'inventaire des formes du lexique utilisées pour exprimer les premières conceptions et les premières réalisations de l'aviation de 1861 à 1890, entre l'apparition du mot *hélicoptère* et celle du mot *avion*. Le point de vue adopté et la période étudiée ont permis de mettre en lumière la structuration progressive du vocabulaire, de faire ressortir les phénomènes d'intégration d'unités lexicales empruntées à des techniques ou des sciences connexes et de dégager certaines constantes de la création lexicale dans les vocabulaires techniques et scientifiques. 712 pages.

du même auteur :

LE VOCABULAIRE DE L'ASTRONAUTIQUE

Enquête à travers la presse d'information, à l'occasion de cinq exploits de cosmonautes. 362 pages, 16 × 24 cm. (Publication de l'Université de Rouen ; en dépôt : Librairie Larousse.)

Ch. Muller
(Faculté de Strasbourg)

ÉTUDE DE STATISTIQUE LEXICALE
le vocabulaire du théâtre de Corneille

L'auteur a soumis à l'analyse quantitative le vocabulaire des 32 pièces de Corneille et a dressé un index complet de ce lexique. De cette analyse se dégagent les traits dominants de l'usage que Corneille a fait de la langue. Chacune de ses pièces se trouve replacée dans l'ensemble, et caractérisée par sa structure et son contenu lexical, ce qui permet de mettre en lumière les différentes étapes de l'œuvre de Corneille. 380 pages.

collection documents pour l'étude de langue littéraire

Baudelaire **LES FLEURS DU MAL**

Corneille **LE CID**

Racine **PHÈDRE**

Index et tables de concordance, publiés par les soins de B. Quemada, directeur du Centre d'études du vocabulaire français de la Faculté des lettres et sciences humaines de Besançon. Chaque volume broché 21 × 27 cm.

Ces ouvrages établis à l'aide de moyens mécanographiques comportent la totalité des mots contenus dans l'œuvre analysée, classés alphabétiquement, chaque emploi étant accompagné du vers qui en constitue le contexte. Ils serviront à la fois aux stylisticiens qui y trouveront les matériaux nécessaires pour définir les structures lexicales propres à l'écrivain, aux linguistes à qui ils offriront des spécimens de la langue poétique, aux littéraires à qui ce découpage analytique permettra des études de synthèse approfondie.

A paraître dans la même collection : Corneille, POLYEUCTE; Apollinaire, CALLIGRAMMES,...

J.-Cl. Chevalier
M. Arrivé
Cl. Blanche-Benveniste
J. Peytard
(Facultés de Lille, Tours, Paris et Besançon ; collaboration de Cl. Régnier et Cl. Normand)

GRAMMAIRE LAROUSSE DU FRANÇAIS CONTEMPORAIN

Cette grammaire est à la fois normative et descriptive. Normative, elle reproduit les règles fixées depuis des décennies par les grammairiens, en explique brièvement l'origine, en discute la validité lorsqu'elles semblent inadéquates à la langue contemporaine. Descriptive, elle s'appuie sur un important corpus assemblé aux étages différents de la langue (usages littéraire et familier, écrit et parlé,...) et l'organise selon deux plans différents d'exposition : d'abord une étude détaillée de la phrase, qui est fondée sur les principes du structuralisme et, particulièrement, en certains points, de la grammaire générative ; puis un examen des parties du discours, qui fait la part plus large à l'analyse des sens et des valeurs en se référant à des développements traditionnels depuis la publication de la "Grammaire de Port-Royal".

La "Grammaire Larousse" est un ouvrage complet : outre les parties déjà citées, on trouvera un important chapitre consacré aux signes et aux sons (phonétique fonctionnelle), un autre au vocabulaire, un autre à la versification (vers classique et vers libre), un index et une bibliographie.

Un volume cartonné 14,5 × 20,5 cm, 496 pages, bibliographie, index.

J. Dubois
(Paris)
R. Lagane
(Sorbonne)
G. Niobey
(Rédact.
dict. Larousse)
D. Casalis
(Rédact.
dict. Larousse)
J. Casalis
(agrégée
de l'Université)
H. Meschonnic
(Lille)

DICTIONNAIRE DU FRANÇAIS CONTEMPORAIN LAROUSSE *nouveauté*

Le "Dictionnaire du français contemporain" présente un état actuel du lexique usuel. En ce sens, il contient tous les mots qui entrent dans l'usage - écrit ou parlé - du français le plus habituel, soit environ 25 000 termes qui forment le *vocabulaire commun du français contemporain*.

Dictionnaire de phrases, il définit chaque mot par les constructions dans lesquelles il entre, et par la place qu'il occupe dans la proposition.

Comme les termes du lexique se définissent par leurs rapports, il fait une large place aux *possibilités de substitution* (synonymes) et aux expressions équivalentes. Les moyens que la suffixation et la préfixation offrent pour passer d'une construction de phrase à une autre construction, d'un verbe à un substantif, d'un substantif à un adjectif, etc., ont été mis en évidence dans cet ouvrage par des *regroupements autour des termes de base*. Soucieux de préciser le niveau de langue, on a indiqué de la manière la plus précise possible les *marques stylistiques* (familier, populaire, argotique, langue écrite, soignée, soutenue, littéraire, vieillie,...).

Des *tableaux* réunissant les pronoms personnels, les prépositions, les noms des mois et des jours, les mouvements musicaux, les degrés de parenté, les grades, etc., permettent de comparer les emplois, de simplifier l'apprentissage de la langue en offrant des analyses qui dépassent les définitions isolées et les vues partielles.

Donnant l'état de la langue parlée autant que de la langue écrite, le dictionnaire indique la *prononciation des mots* en alphabet phonétique international.

Tenant compte des progrès réalisés par la linguistique, le "Dictionnaire du français contemporain" est un instrument de travail adapté aux *conditions modernes de l'enseignement d'une langue vivante.*

Un volume relié pleine toile 18 × 24 cm, sous jaquette en couleurs, 1252 pages, 90 tableaux.

collection "dictionnaires du langage"

chaque volume relié pleine toile 13,5 × 20 cm.

A. Dauzat
J. Dubois
(Faculté de Paris)
H. Mitterand
(Faculté de Reims)

NOUVEAU DICTIONNAIRE ÉTYMOLOGIQUE LAROUSSE

Ce "Nouveau dictionnaire étymologique et historique de la langue française" offre plusieurs milliers de datations nouvelles, en précisant la source de chacune d'elles ; comportant l'ensemble des mots contenus dans le "Petit Larousse", il est le premier à faire une place importante aux termes techniques dont il précise l'origine par des tableaux de préfixes et de suffixes étendus. Il n'enregistre pas seulement les progrès de l'étymologie mais s'efforce aussi de dater les moments principaux de l'évolution d'un terme ou l'apparition des locutions ; il offre ainsi une documentation sur la sémantique historique. L'introduction contient, sous la forme de tableaux, un précis de phonétique historique du français. 856 pages.

DICTIONNAIRE COMPLET DES MOTS CROISÉS

Réalisé en composition automatique avec le concours de la Société d'Informatique appliquée (cartes perforées, bandes magnétiques, opérations effectuées sur ordinateurs), il contient la totalité des mots du "Petit Larousse" (édition 1965), classés selon le nombre de lettres, dans l'ordre alphabétique normal d'une part et dans l'ordre alphabétique inverse, de l'autre.
On sait l'importance actuelle des dictionnaires inverses pour l'étude linguistique : recherche des suffixes, de leur productivité, détermination de probabilité d'apparition de telle ou telle lettre en une position définie, détermination de la longueur moyenne des mots,... Il est encore un dictionnaire des rimes. 896 pages.

G. Esnault
(agrégé de l'Université)

DICTIONNAIRE DES ARGOTS

Qu'est-ce qu'un argot ? C'est un ensemble de termes qui apparaissent dans un groupe social - professionnel, scolaire, mondain - en marge de son langage technique et de la langue commune. Formé selon les procédés connus de la morphologie (dérivation, composition, chevauchement,...) et de la sémantique (métaphore, métonymie,...), sans phonétique ni syntaxe autres que celles du milieu où il apparaît, le mot d'argot est un produit du savoir populaire. Ces vues ont inspiré l'élaboration du Dictionnaire historique des argots français, qui présente en un volume l'essentiel du vocabulaire argotique recensé depuis les premières sources jusqu'aux toutes dernières acquisitions : jargon, jobelin, poissard, argots des bagnes et des prisons, des casernes et de la marine, des métiers et des écoles, du jeu et du turf, du sport, de la rue,... Conduit selon une méthode critique rigoureuse, enrichi d'exemples datés et référencés, pris dans des textes authentiques, et complété par des développements étymologiques qui proposent nombre d'explications nouvelles, cet inventaire d'un domaine particulier de la langue prend place à côté des dictionnaires de définitions et des dictionnaires étymologiques du français général. 644 pages.

A. Dauzat

DICTIONNAIRE DES NOMS DE FAMILLE ET PRÉNOMS DE FRANCE

Ce dictionnaire est d'un puissant intérêt psychologique et social aussi bien que linguistique. Tous les noms de famille - c'est-à-dire plusieurs dizaines de milliers - figurent dans cet ouvrage avec leur étymologie, leur lieu d'origine, leur aire géographique, leurs variations. 652 pages.

A. Dauzat
Ch. Rostaing
(Faculté des lettres d'Aix-en-Provence)

DICTIONNAIRE DES NOMS DE LIEUX DE FRANCE

Près de vingt années de recherches ont été nécessaires pour établir ce dictionnaire qui relève les noms de communes et de hameaux de l'ensemble du territoire français. Chaque article comprend d'abord la forme moderne, officielle, du toponyme considéré, puis sa localisation départementale, ensuite les formes datées, du moins la plus ancienne connue et, éventuellement, celles qui peuvent expliquer l'évolution ultérieure du terme ; enfin, l'interprétation philologique de ces formes. 738 pages.

dans la même collection :

DICTIONNAIRE ANALOGIQUE
Charles Maquet.

DICTIONNAIRE D'ANCIEN FRANÇAIS
Robert Grandsaignes d'Hauterive.

DICTIONNAIRE DES DIFFICULTÉS DE LA LANGUE FRANÇAISE (couronné par l'Académie française)
Adolphe V. Thomas.

DICTIONNAIRE DES LOCUTIONS FRANÇAISES
Maurice Rat.

DICTIONNAIRE DES PROVERBES, SENTENCES ET MAXIMES
Maurice Maloux.

DICTIONNAIRE DES RACINES DES LANGUES EUROPÉENNES
Robert Grandsaignes d'Hauterive.

DICTIONNAIRE DES RIMES FRANÇAISES
Philippe Martinon et Robert Lacroix de l'Isle.

DICTIONNAIRE DES SYNONYMES
(couronné par l'Académie française)
René Bailly.